Merito quippe beatorum angelorum ordines ecclesię militię ... nomine ...
... de trino ... triumphum ... et magnitudine lętitia sue hon...
solą inhonorati ... xpi laudasse et post in deserto illi ministrasse ... evangelii ... commemorare ...
... tribus post passionis ac resurrectionis debito officio ipsos affuisse manifestissimum et maxime...
illos erediti operę huius rei ... devotos qui ... quanto ... dignius hos milites militant tanto devotius et triumphum
laudant. Novem ergo sunt ordines angelorum ... recitante nobis comendat auctoritas hoc est angeli,
archangeli, virtutes, potestates, principatus, dominationes, throni, cherubin et seraphin. Sed hęc expo-
nenda beatus papa gregorius verba ponam ... angelorum et archangelos pene omnes sacri eloqui pagi-
ne testantur, cherubin quoque atque seraphin sępe nota est ... libris propheta... loquuntur. Quattuor quoque ordinum nomina paulus apostolus ad ... enumerat dicens supra omnem principatum et potestatem et virtute et domi-
natione quarum ad colosenses scribens ait, sive throni sive dominationes sive principatus sive potestates dominationes vero principatus ac potestates tam ad ... loquens descripsisset sed ea quoque colo-
sensibus dicturus primisit thronos, de quibus ... quicquam expressi fuerat loquitur. Jam ergo illis quattuor quae ad ... dicere idem principatibus et potestatibus virtutes atque dominationibus coniunguntur,
throni quinque sunt ordines qui specialiter exprimuntur, quibus dum angeli et archangeli cherubin atque seraphin adiuncta sint procul dubio novem sunt angelorum ordines inveniuntur. Unde et ipsi angeli qui primum
condetur ... propheta dicitur ... signa culum similitudinis plenus sapientia et perfectus decore in de-
liciis paradisi dei fuisti, quon... quidem quod non ad similitudinem dei factus sed signa culum similitudinis dicitur.
atque subtilior est natura eo illam imago similius insinuatur et ipse quoque in loco mox subditur omnis lapis
pretiosus opermentum tuum sardius topazius et iaspis chrysolitus onix et byrillus saffirus carbunculus
et smaragdus. Ecce novem dicta nomina lapidum et perfecte novem sunt ordines angelorum quibus ... nimirum
ordinibus ille primus angelus ideo ornatus et super extitit quia dum cunctis agminibus angelorum prela-
tus ... exceptcomparatione ... fuit. Sed hęc dispositio me vice novem ordinum lineis angelorum quidnos sacramenta innuit prosequamur, ... electo hęc species se crucis in inferiori sua parte duos ordines id est angelos
et archangelos. In brachio dextro duos hoc est virtutes et potestates. In brachio sinistro item duos id est principatus et dominationes. In medio unum id est thronos, in superiore igitur parte item duos hoc est cherubin
et seraphin ... quae etiam nomina domini nostri ihu xpi gloriam praedicandam satis comunicant eiusque magnificen-
tiam et potentiam narrandam decenter componunt. Quem enim angeli et archangeli in infima parte
crucis posita denuntiant nisi eum quod de celo in terram descendit magni videlicet consilii angelum ad ...
nuntiandum mansuetis missum ... ut fortem alligaret et eiusque vasa diriperet. Et quem aliam in virtutes potestates principatus et dominationes predicare in brachiis crucis posita nisi eum de quo scriptum est,
dextera domini fecit virtutem et item ... data inquit mihi omnis potestas in celo et in terra. Item quem et fortis ...
principatus super humerum eius et vocabitur nomen eius admirabilis consiliarius deus fortis pater futuri
saeculi princeps pacis. Et item, et dominabitur a mari usque ad mare. Et a flumine usque ad terminos
orbis terre. Thronos ergo ... in medio crucis posita quem alium intellegere notatur nisi illum quod dictum est,
apostolo teste thronus tuus deus in seculum seculi virgaque est virga regni tui. Et psalmista, sedit inquit sup
thronos qui iudicas aequitatem. Et quem cherubin seraphin que significant in vertice crucis posita nisi eum de
quo dicit apostolus in quo sunt omnes thesauri sapientiae et scientiae absconditi. Et item, dominus noster ignis con-
sumens est, cherubin quippe plenitudo scientiae et seraphin ardentes vel incendentes interpretatur. Sed hęc
non ita dicamus de ordinibus angelorum quasi eum in certo illos coequemus sed pro subiecto creaturae officia et nomina
dispensationis illius sacramenta veneramur. Est enim ipse et dei filius ante omnia videlicet secula ex deo
patre genitus hoc est de substantia patris quin novissime ... natum seculi ex virgine matre natus natura in
se suscepit humanam ad debellandum scilicet mundi principem missus ut expoliaret principatus et potestates palam triumphans eos in semetipso quem pater suscitavit a mortuis et constituens ad dexteram suam
in celestibus supra omnem principatum et potestatem et virtutem et dominationem et omne nomen quod
nominatur non solum in hoc seculo sed etiam in futuro, omnia subiecit sub pedibus eius et ipsum dedit caput supra
omnia ecclesiae quae est corpus ipsius. Novem ergo litterae maiores quae in hac pagina speciem crucis faciunt hoc sonant
CRUX SALUS. Habentque singulae singulos ordines angelorum ut facile cuilibet patebit qui litteras eius novit et nomina novem ordinum non ignorat.

Septuagenarius quippe numerus presenti forma sanctae crucis sparsis lateribus conscripta demonstrat, quo non intimatur omnia myste
ria quae idem numerus continet et honor sanctae crucis decentissimo convenire. Nam lxx annis captivitatis quos Hieremias propheta
predixit populo sacri legis futuros, quid aliud significare, quam omne tempus istius vitae quod per septenarium numerum distri
nitur quo propter peccatum primi hominis damnati sumus et poenis eruimus, affligimur. Quantis tribulationibus atque
angustiis cotidie afficimur, sed quia finem captivitatis post lxx annos idem propheta prenuntiavit hoc scilicet insinuat,
quod in fine mundi captivitas ista perfecte dissolvetur quando novissima et inimica distruetur mors, quando simul et de
anime decore et de corporis immortalitate sine fine cum christo gaudebimus. Atque ideo in sacra crucis forma haec ratio oportebat
demonstrari quia ipse saluator christus passione huius gratiae nobis contulit effectum. Cuius rei concordant ipsa verba prophetae quando haec
dicit dominus ceperint impleri in babylone septuaginta anni visitabo vos et suscitabo super vos verbum meum bonum et reducam vos
ad locum istum. Ego enim scio cogitationes pacis et non adflictionis, ut dem vobis finem bonum et patientiam et invocabitis me, ibitis
et adorabitis me, et exaudiam vos. Queretis me et invenietis cum quesieritis me in toto corde vestro inveniar a vobis. Ait dominus et reducam
captivitatem vestram et congregabo vos de universis gentibus et de cunctis locis, ad que expuli vos dicit dominus et reverti vos faciam ad locum
a quo transmigrare vos feci. Et id quidem est enim quod dicit propheta si ceperint impleri in babylone lxx anni visitabo vos et
suscitabo super vos verbum meum bonum, hoc est quod dicit apostolus quando autem venit plenitudo temporis misit deus filium suum factum
ex muliere factum sub lege ut eos qui sub lege erant redimeret, ut adoptionem filii reciperemus. Et item novissimis inquit diebus
locutus est nobis deus in filio suo quem constituit heredem universorum, per quem fecit et saecula, si ceperint impleri dixit si non imple
ti fuerint, quia non in consumatione mundi, sed in novissima aetate sancti incarnatus est christus et per verbum evangelii illuminavit
ac credentes atque per passionem et resurrectionem suam restauravit genus humanum, quod enim ibi sit in hoc capitulo revertisse
predicat hoc est meo quod dicit et reducam vos ad locum istum et paulo post subiit, et revertet ipsos faciat ad locum a quo transit
migrare vos feci, potest intellegi quod anime reversione ad requiem in priori sententia et in secunda corporis resurrectio
nem ad gloriam insinuat, post mortem ergo sanctorum anime modo in paradiso vadunt et in fine mundi recipientes corpora
sua regnum intrabunt aeternum. Septuaginta vero ebdomadas numeravit idem daniel propheta usque ad christum quando sine accepere
delicti et prevaricatio et adducetur iustitia sempiterna ut haec apertius elucescant ipsa iam angeli ad prophetam dicta
videamus. Septuaginta quinque ebdomades abbreviate sunt super populum tuum et super urbem sanctam tuam ut consumetur prevari
catio et finem accipiat peccatum et deleatur iniquitas et adducatur iustitia sempiterna et impleatur visio et prophetia et ungatur sanctus sanctorum, et si quis,
si nulli dubium quin haec verba christi incarnatione designent, qui scilicet peccatum mundi legis et prophetas implevit in cui visio et oleo laetitiae
pre participibus suis unctus est. Igitur istae ebdomades per septenos annos distinctae quinquagesimo anno regni artaxerxis regis quan
do neemias pincerna eius impetravit ab eo restaurari muros hierusalem templo multo ante ab eo principibus construeretur, quarum
abbreviate esse scribuntur hoc est secundum lunam. Capiunt duodenorum mensium lunarium, unde fiunt anni quadringenti nonaginta
qui ad solem redacti faciunt annos ccc lxx vi, ad christi vero baptismum quando unctus est sanctis sanctorum descendente super eum spiritu sancto sicut columba
visibiliter ebdomadas vii et lxii fuisse completas scilicet ex parte iam septuagesimae ebdomadis inchoatae et post ebdomadas inquit lxii occi
detur christus et non erit populus qui eum negaturus se est, scilicet post lx duas ebdomadas sed in fine septuagesimae ebdomadis occiditur christus, qui
ideo quartam conieceris potuisse resurgere, et reverti deus et contra qua de haec exemplatura videtur ista et per illam crucifixus et a populo perfido non
modo in passione sua venti continuo et qui a Johanne predicari coepta negatura. Confirmavit igitur autem simul cum pacto ebdomas una, in ipsa
videlicet et novissima inquae vel iohannes baptista vel dominus et apostoli predicando multos ad fidem converterunt, et in dimidio ebdoma
dis deficit et hostia et sacrificium hoc est xv annos ab eius captivitate quando inchoato christi baptismate hostiarum purificatio fidelibus paulatim
vilescere coepit, et merito quia quanto magis appropinquabat veritas umbra secedebat. Dignum etiam erat ut ipse salvator in
cruce fieri voluit hostia legalis pecudum desineret et ultima et quia verus agnus dei christus pro totius mundi peccatis immolatus est ut per eius
illa deficeret, et unius gentis liberatione in testimonium occisura. Item lxx presbiteros moyse dei iubente et de populo peculiari ut osten
deretur eius ratio modo qui per christi gratiam legem spiritaliter intellegunt idoneos esse alius magisterii probare et hoc in eis decebat numero
ostendi quia non est inventus neque in caelo neque in terra neque sub terra qui aperiret librum et solveret vii signacula eius respiceret, qui illi
misit agnus qui in medio throni stat tanquam occisus habens cornua vii et oculos vii, leo quidem de tribu iuda radice david qui claues tenens
claudit et nemo aperit, aperit et nemo claudit, qui datur ut in luce gentium ut aperiret oculos caecorum et educeret de conclusione vinctum
de domo carceris sedente in tenebris et umbra mortis. Sunt quidem nec hi figura sanctae crucis, si perlite dispositae que simul numerum lxx
continet, singillatim vero una quaque xiiii, haec ig. una versu si in longitudine a sumo incipiente et imo ad desinente lxx CRUX PIA
CONSTRUCTA HIC SUPERASTI UINCULA MORTIS. Item in latitudine a versu sumo mule alium versum tenente lxx
MAGNA BONA ET SANCTA HIC SUPERASTI CRIMINA SAECLI. Mediaterque quoque cruciatori qui versu communiset.

*»Wir sagen Lob und Dank dem
allmächtigen Gott, der uns
nicht mit weniger Glanz erleuchtet hat als unsere Vorgänger. Denn wenn er ihnen einen
Hieronymus, Augustinus, Gregor und andere schenkte, so hat
ER, der Verdienst und Weisheit
schenkt, uns den RABANUS
beschieden.«*
(Kaiser Lothar I., 795–855)

MITTELRHEINISCHES LANDESMUSEUM MAINZ

RABANUS MAURUS IN SEINER ZEIT
780-1980

VERLAG PHILIPP VON ZABERN · MAINZ AM RHEIN

Umschlag: Illustrationen aus »De laudibus sanctae crucis« von Rabanus Maurus
Frontispiz: Relief am Sockel des Rabanus-Denkmals von Anton Rüller in Winkel, 1906

Die Ausstellung wurde gezeigt vom 13. September bis 19. Oktober 1980

Folgende Institutionen haben durch Leihgaben oder durch Fotovorlagen
für die Ausstellung und den Katalog in großzügiger Weise zum Gelingen
beigetragen. Ihnen gilt unser herzlicher Dank:

Akademische Druck- und Verlagsanstalt Graz
Bibliothèque Nationale Paris
Bildarchiv Foto Marburg
Burgerbibliothek Bern
Dom- und Diözesanarchiv Mainz
Gutenberg-Museum Mainz
Hessisches Staatsarchiv Marburg
KNA-Bild, Fotoarchiv, Frankfurt/M.
Museumszentrum Burg Linn Krefeld
Österreichische Nationalbibliothek Wien
Rheinisches Landesmuseum Bonn
Römisch-Germanisches-Zentralmuseum Mainz
Stadtbibliothek Mainz
Stadtverwaltung Lorsch/H.
Stiftsbibliothek St. Gallen
Universitätsbibliothek Mainz
Verwaltung der Staatlichen Schlösser und Gärten Bad Homburg
Westfälisches Landesmuseum für Vor- und Frühgeschichte Münster

Ein Teil der Ausstellungsstücke gehört dem Mittelrheinischen Landesmuseum Mainz.

Gesamtredaktion: Prof. Wilhelm Weber

120 Seiten mit 63 Schwarzweiß- und 4 Farbabbildungen

INCIPIUNT CAPITULA

EXPLICIUNT CAPITULA

Schriftseite aus »Liber de laudibus sanctae crucis«. Handschrift in der Österreichischen Nationalbibliothek, Wien.

Stadtbild aus der Schedelschen Weltchronik, beschriftet »Mayntz«, gedruckt 1493 in Nürnberg. Mittelrheinisches Landesmuseum Mainz.

Rabanus Maurus und Mainz

Von Franz Staab

Daß Rabanus im Jahre 780 in Mainz geboren wurde, ist erst in unserem Jahrhundert Erkenntnisstand der Wissenschaft geworden, der sich allerdings gegen die Tradition älterer Datierungsversuche noch nicht ganz durchsetzen konnte. Johannes Trithemius hatte in seiner 1515 verfaßten Rabanus-Vita das Geburtsdatum schlankweg auf den 2. Februar 788 festgelegt[1]. Jean Mabillon (1632–1707) verwarf es und errechnete aus dem Jahr 801, in dem Rabanus nachweislich zum Diakon geweiht wurde, ein Geburtsjahr von ungefähr 776, unter der Voraussetzung, daß die Diakonatsweihe damals noch im kanonisch vorgeschriebenen Alter von 25 Jahren empfangen wurde[2]. An der Berechnung Mabillons haben dann im 19. Jahrhundert Friedrich Kunstmann und zunächst auch Ernst Dümmler festgehalten[3]. Letzterer kam aber 1898 zur Ansicht, daß Rabanus kaum vor 784 geboren sein könne[4]. Eine Außenseiterrolle spielte Konrad Dahl, der 1828 zur Überzeugung gelangte, daß das Lob des heiligen Kreuzes (De laudibus sanctae crucis) 810 vollendet worden war. Da Rabanus sein Alter beim Abschluß dieser Arbeit mit 30 Jahren angab, ermittelte Dahl das Jahr 780 als Geburtsjahr Rabanus'[5]. Der bereits von Kunstmann abgelehnte und nie weiter beachtete Beitrag Dahls wurde 1925 glänzend gerechtfertigt, als Paul Lehmann aus einem Exemplar der Fuldaer Annales Antiquissimi, das als Ostertafel bis 854 in Fulda fortgeführt wurde, einen bisher nicht beachteten Eintrag zum Jahr 780 veröffentlichte: »Nascitur hraban (. . .)«[6]. Leider hat die Entdeckung Lehmanns bis heute nicht in alle Handbücher Eingang gefunden, was noch 1971 von Dieter Schaller mit vollem Recht gerügt worden ist[7]. So gibt von den Kommentaren der beiden Faksimile-Ausgaben des Liber de laudibus sanctae crucis einer das richtige[8], der andere aber ein falsches Geburtsjahr an[9]. Inzwischen ist eine Untersuchung von Wesley Stevens angekündigt, die den Nachweis führen will, daß mit dem quellenmäßig überlieferten Jahr 780 das erste Jahr nach der Geburt Rabanus gemeint sei[10]. Man darf auf die Beweisführung gespannt sein.

Seine Kindheit verlebte Rabanus wohl im Mainzer Haus seiner Eltern, die dem fränkischen Adel angehörten und schon früh mit der Abtei Fulda in enge Berührung gekommen waren. In verschiedenen Urkunden treten uns Teile des reichen Grundbesitzes der Familie entgegen. Der Vater Waluram war offenbar ein hoher Beamter im Wormsgau, der Bruder Gunthram wurde Graf im Oberrheingau und ein gleichnamiger Neffe war zeitweise Kaplan am Kaiserhof. Im Mai 788 gaben die Eltern den gerade achtjährigen Rabanus als puer oblatus nach Fulda[11]. Dort erhielt er seine erste Ausbildung. Bald schon muß er sich vor seinen Mitschülern ausgezeichnet haben. Dies war wohl zusammen mit seiner vornehmen Abkunft der Grund dafür, daß er in den späten 790er Jahren an die mit den berühmtesten Geistern ihrer Zeit gezierte Hofakademie Karls des Großen ziehen durfte. Dort wurde er zum Lieblingsschüler Alkuins, der ihn, gleich dem Lieblingsschüler Benedikts von Nursia, Maurus nannte[12]. 801, also etwas früher als die kanonischen Bestimmungen zuließen, gemessen an seiner geistigen Reife und Bildung jedoch sicherlich nicht zu früh, wurde er zum Diakon geweiht. Die Ausbildung bei Alkuin setzte er 803/04 in Tours, dem Alterssitz des verehrten Lehrers, fort. Abt Ratger hatte Rabanus zusammen mit dessen Freund und späterem Nachfolger in der Abtwürde, Hatto, eigens nach Tours geschickt. Nach dem Tod Alkuins 804 kehrte Rabanus nach Fulda zurück und wurde dort Lehrer an der Klosterschule. Um 810 (jedenfalls vor 814) vollendete er seine große Dichtung vom Lob des heiligen Kreuzes (De laudibus sanctae crucis), deren Anfänge Alkuin noch begleitet hatte, und die mit einem Schlag den Ruhm Rabanus' über das ganze Frankenreich verbreitete. Am 23. Dezember 814 empfing er von Erzbischof Haistulf von Mainz die Priesterweihe. Als dankbarer Empfänger des Sakraments hat Rabanus dieses Erzbischofs oft gedacht; drei der nächsten Werke, das über die Klerikerausbildung, der Kommentar zum Matthäus-Evangelium und eine Predigtsammlung, sind ihm gewidmet. Gleichzeitig setzte Rabanus seine Lehrtätigkeit fort. Sein pädagogischer Erfolg läßt sich an seinen Schülern ablesen, von denen die bedeutendsten in der Ausstellung tabellarisch zusammengestellt sind. 822 wurde er zum Abt seines Kloster gewählt. Die schwere Bürde dieses Amtes hinderte ihn nicht daran, weiter lehrend und schriftstellerisch tätig zu sein. Unter seinem Abbatiat stieg die Zahl der Fuldaer Mönche mit ungefähr 600 auf eine vor ihm und nach ihm nicht erreichte Höhe. Dabei blieb das geistig-geistliche Niveau einerseits erhalten und bekam andererseits bemerkenswerte Akzente. Wie Rabanus die Dänen- und Schwedenmission durch Sachspenden tatkräftig unterstützte, so gewährte er auch den dort tätigen Missionaren geistlichen Rückhalt und förderte Dichtungen in althochdeutscher und altsächsischer Sprache mit Rücksicht auf die Heidenbekehrung und die Vertiefung des christlichen Glaubens bei den schon dem Christentum Gewonnenen. Otfrid von Weißenburg, der sich als Schüler Rabanus' bekennt, ist offenbar nur einer der von ihm herangebildeten deutschen Dichter.

Um den materiellen Bedürfnissen seines riesigen Konvents gerecht zu werden, reorganisierte Rabanus die Wirtschaftsverwaltung nach einer etwas abgewandelten Form der Villikationsverfassung. Sein Schüler Rudolf mußte die urkundlichen Besitztitel ordnen und in mehrere Bände abschreiben lassen, von denen sich einer bis heute erhalten hat und in Marburg aufbewahrt wird[14]. Schon unter den früheren Äbten waren in bedeutenderen Kirchen der weitverstreuten Besitzungen Propsteien gegründet worden, die sich zu einem Netz von Satellitenklöstern entwickelten. Durch die Kirchenbauten, Altarweihen und Reliquienübertragungen festigte Rabanus dieses System, so daß die übergroße Zahl der Mönche in überschaubare Gruppen gegliedert werden konnte.

Im Fuldaer Konvent waren vor und nach Rabanus immer wieder Spannungen und Rivalitäten aufgebrochen, so daß es verwunderlich wäre, wenn es dergleichen unter Rabanus nicht gegeben hätte. Trotzdem herrschte in seinem zwanzigjährigen Abbatiat vergleichsweise Frieden und Eintracht. Anzeichen von Mißhelligkeiten gab es nur bei dem Prozeß Gottschalks des Sachsen, bei dem sich sogar Rabanus' Mitschüler und Freund Hatto gegen seinen Abt stellte[15]. Obwohl das Verhalten Rabanus' in dieser Angelegenheit unserem heutigen Gefühl zuwiderläuft, muß man doch einräumen, daß er sich in der Frage, ob die Einweisung eines Kindes durch seine Eltern in ein Kloster für es lebenslang bindend sei, strikt an die durch den Papst bestätigte Interpretation des Klostergründers Bonifatius gehalten hat. Eine Belastungsprobe war auch der starke politische Druck von außen, der schließlich zur Resignation Rabanus' führte. Gerade hier zeigt sich sein ernsthafter Wille zur Versöhnung in einer Situation, in der er Nachteile für die eigene Person in Kauf nehmen mußte. Die nicht unkomplizierte und von strenger Prinzipientreue diktierte Haltung Rabanus' beim Streit Ludwigs des Frommen mit seinen Söhnen wurde anläßlich des Rabanus-Jubiläums im »Gymnasium Moguntinum« bereits skizziert[16]. Es war ungewöhnlich, daß Rabanus nach seiner Resignation Ende 841 oder Anfang 842 den neuen Abt Hatto, seinen ehemaligen Mitschüler bei Alkuin, der trotz allem sein Freund geblieben war, mit Rat und Tat unterstützte. Und es hat immer wieder Verwunderung erregt, daß ein Mann, der dem oberflächlichen Betrachter als ein unbedingter Parteigänger Lothars I. und Gegner Ludwigs des Deutschen erscheint, von letzterem bereits um 844 in Rasdorf aufgesucht und schließlich 847 mit Mainz das bedeutendste Erzbistum des Königreichs der Ostfranken erhielt. Die Aufgaben eines Reichsabts, von der Naturalienlieferung an den Hof über die Bereitstellung von Heereskontingenten bis hin zu Geschäftsträgerdiensten hat Rabanus getreulich erfüllt.

Im politischen Wechselspiel ging er Schwierigkeiten nicht aus dem Weg. Er sah mit eigenen Augen 828 das Scheitern des Bulgarenfeldzugs des jungen Ludwig des Deutschen. Die delikate Vermittlung zwischen Ludwig dem Frommen und seinen Söhnen 830 und 833 belohnte der Kaiser mit großzügigen Schenkungen für Fulda. Als dieser aber nach seiner Ab- und Wiedereinsetzung 833 Rache übte und zahlreiche geistliche wie weltliche Würdenträger ihrer Ämter enthob, versuchte Rabanus wieder dazwischenzutreten und abzumildern. Den von Ludwig dem Frommen und dem schwankenden Episkopat als

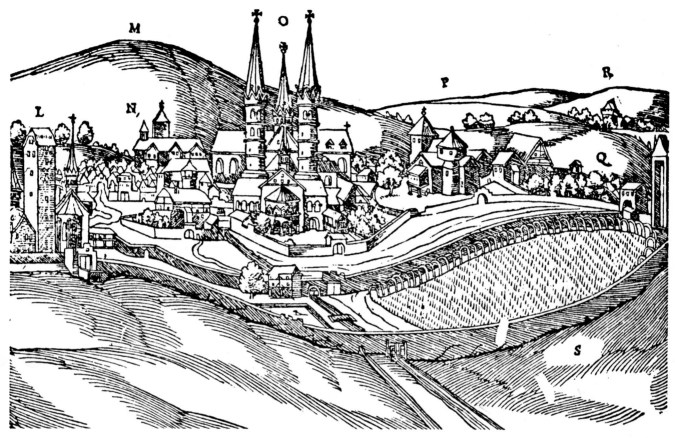

Ansicht von Fulda. Blick von Osten auf die Abteikirche (Dom) und St. Michael. Holzschnitt Brosamers aus der Cosmographia universalis des Sebastian Münster, 1550

Sündenbock abgestempelten und abgesetzten Erzbischof Ebo von Reims hielt er so zuvorkommend in seiner Fuldaer Klosterhaft, daß er sich dafür strenge Verweise einhandelte. Anders als für manchen anderen geistlichen Würdenträger war für Rabanus die niedere Herkunft Ebos kein Stein des Anstoßes. Bei seinem Amtsantritt in Mainz fand Rabanus diesen um die Dänenmission sehr verdienten Mann[17] als seinen Suffraganbischof in Hildesheim vor und hat ihn dort gerne behalten. Noch 853/56 schrieb er auf eine Anfrage hin an Bischof Heribald von Auxerre ziemlich unwirsch, daß er sich zur Absetzung und der (von Lothar I. vorübergehend durchgedrückten) Wiedereinsetzung Ebos (851) nicht äußern brauche, sondern die dafür Verantwortlichen sollten selber zusehen, ob sie recht oder unrecht getan hätten[18].

Wir sind nun zum Mainzer Pontifikat Rabanus' gelangt. Obwohl die Quellen für seine hiesige Tätigkeit spärlicher fließen als für seine Fuldaer Zeit, läßt sich doch beobachten, wie er eifrig für seine Diözese sorgte und das religiöse Niveau des Reiches allgemein zu heben suchte. Er knüpfte 847 sofort an die Tradition der großen Reichssynoden von 813 an, die man im Gezänk um Reichseinheit und Reichsteilungen, um die Rechte des geistlichen Richteramtes über den König und um das Gottesurteil des Blutbades von Fontenay am 25. Juni 841 sehr zum Schaden von Kirche und Reich vergessen hatte. Neben den Fragen der Lehre und Disziplin ist bei diesem und den folgenden von Rabanus veranstalteten Konzilien die soziale Komponente unübersehbar. In die Akten der Synode von 847 flossen so ausführliche Bestimmungen

Die Kirche auf dem
Petersberg bei Fulda
Foto Marburg

zum Schutz der ärmeren Freien. Gegen das »gesunde« Rechtsempfinden vieler wurde auch verordnet, daß für die Gehenkten wie für jeden anderen Christen Messen gelesen werden müßten. Vielleicht sah Rabanus Schwierigkeiten mit den Mainzer Nonnen in Altmünster auf sich zukommen, denn die Synode verabschiedete einen aus der sogenannten Aachener Regel abgeleiteten Kanon, wonach eine Äbtissin in der Stadt nur unter der wirklichen Aufsicht des Ortsbischofs schalten und walten durfte[19]. Die von Rabanus in seiner erzbischöflichen Zeit gedichteten Altarinschriften für den Dom und die Marienkirche in Mainz sowie für Kirchen draußen im Bistum und darüberhinaus zeigen nicht nur eine rege Bautätigkeit an, denn gerade die Wiedererrichtung oder Neuerrichtung von Altären und Kirchen gibt auch Zeugnis von der religiösen Erneuerung, die Rabanus eifrig betrieb. Die bei ihm immer wieder spürbare Hinwendung zu den Armen und Bedürftigen, zu der er trotz hoher Abkunft, glänzender Karriere und vielgerühmter Gelehrsamkeit fähig war, ist am weitesten bekannt geworden durch den Bericht der sogenannten Fuldaer Annalen zur Hungersnot von 850, während der er in Winkel im Rheingau zahlreiche Bedürftige verpflegte. Obwohl er mit 67 Jahren als ein für die damalige Zeit sehr alter Mann die Leitung der Mainzer Kirche übernahm, hat er doch in den neun Jahren seines Pontifikates erstaunlich viel geleistet, bevor er am 4. Februar 856 starb und in St. Alban beigesetzt wurde. Nach Trithemius soll sich sein Grab dort etwas erhöht an der Wand des gotischen Chores befunden haben[20]. In welchem Verhältnis diese Stelle zu dem für Haistulf und Otgar überlieferten Begräbnis in der Bonifatiuskapelle der Albanskirche stand, ist unklar.

GEISTIGE BEDEUTUNG

Den hohen geistigen Rang des Rabanus Maurus, seine von der Theologie bis zur Astronomie und Militärwissenschaft reichende Gelehrsamkeit und seine Dichtungen, haben die Zeitgenossen und überhaupt das ganze Mittelalter zu schätzen und loben gewußt. Daß dabei die richtige Einordnung in die Bildungsgeschichte nicht immer glückte – sehr krass ist schon der Gelehrtenstammbaum bei Ademar von Chabannes (988–1034) – tat der allgemeinen Hochachtung für Rabanus keinen Abbruch. Seine theologische Bedeutung ging allerdings ganz verloren

mit dem Sieg des Thomismus, dessen neue, von der aristotelischen Philosophie her konzipierten Aussagen und Auffassungen mit den streng traditionellen Darlegungen Rabanus', der bewußt auf spekulative Lösungsversuche verzichtet und sich immer gegen solche gewehrt hatte, nicht immer in Einklang zu bringen waren[21]. Das stark nationale Interesse der deutschen Humanisten an Rabanus bewahrte ihn jedoch andererseits nicht vor einer zwiespältigen Beurteilung durch die Magdeburger Zenturiatoren, die seine Ansichten über die Prädestination und den freien Willen lobten, seine Reliquienverehrung und Papsttreue dagegen vom reformatorischen Standpunkt her tadelten[22].

Den folgenschwersten Schaden erlitt die Einschätzung Rabanus' freilich erst durch die Vorstellung vom Originalgenie, der wir seit dem späten 18. Jahrhundert anhängen und die wir – eingestanden oder nicht – immer noch als Maßstab für die Beurteilung geistiger Leistung anwenden. Das sorgsame Sammeln und Zusammenordnen von Väter-Aussagen und Konzilsdefinitionen zu theologischen Problemen, die Veränderung der Anordnung, aber Beibehaltung der meisten Textpassagen von schon vorhandenen Werken antiker oder späterer Autoren oder andere, bewahrend-nuancierende, auf schöpferische Leistung bewußt verzichtende Methoden finden vor dieser Richterin keine Gnade. Als Paul Lehmann 1954 vorsichtig darlegte, daß Kompilationen des Rabanus nicht als Plagiate beurteilt werden dürften, blieb er doch bei der modern-traditionellen Meinung, daß ihm eine deutliche Beschränktheit anhafte[23]. Erst jüngst hat man erkannt, daß schon in der Art der Auswahl, die Rabanus aus den von ihm herangezogenen Werken traf, reflektierte Arbeitsprinzipien und Erkenntnismethoden sichtbar werden, die für ihn spezifisch sind und nichts mit mechanischem Ausschreiben zu tun haben[24].

Weitere Untersuchungen, beziehungsweise kritische Ausgaben der Werke, werden sicherlich zu einer angemesseneren Beurteilung der wissenschaftlichen Leistung von Rabanus beitragen. Bei ihm ist jedenfalls deutlich, daß er die Grenzen der Theologie enger faßte als das spätere Mittelalter, und daß er gerade in der gedanklichen Auseinandersetzung mit Gottschalk dem Sachsen auf die inneren Gefahren einer allzu spekulativen Theologie aufmerksam machte, der er Ehrfurchtslosigkeit vor der Größe Gottes vorwarf[25].

Die Werke des Dichters erscheinen in der Beleuchtung durch die angedeuteten, heute noch wirksamen Vorstellungen von Kunst als Schöpfung des Genies diskreditiert und fast ohne Wert. Wir lernen erst allmählich wieder, einem Figurengedicht der Schreibmaschinenpoesie etwas abzugewinnen. Nachteilig für uns wirkt sich aber auch aus, daß eine kritische Edition nur für die Gelegenheitsgedichte vorliegt. Deren Herausgeber Ernst Dümmler wollte 1884 bezeichnenderweise seinen Lesern die »langschweifigen und albernen Rätselhaftigkeiten« im Lob des heiligen Kreuzes (De laudibus santae crucis) ersparen und die schon in verschiedenen anderen Ausgaben zugänglichen geistlichen Dichtungen nicht in seine Edition mit einschließen[26]. Wie würde jemand Goethe beurteilen, der von ihm nur Faust II und die Stammbuchverse liest? Daß man sich heute immer noch mit den Bewertungskriterien schwer tut, offenbart auch der fünf Jahre zurückliegende Versuch von Raimund Kottje, den Ehrentitel des Rabanus als eines »Praeceptor Germaniae« (der eingestandenermaßen erst neuzeitlich ist) durch eine Aufstellung in Zweifel zu ziehen, nach der mittelalterliche Handschriften der Werke von Rabanus in Deutschland nicht stärker oder allgemeiner verbreitet waren und sind als etwa in Frankreich oder England[27]. Welches Gewicht hat dieser Befund gegenüber der im Schülerkreis des Rabanus gepflegten deutschsprachigen Dichtung, gegenüber den von ihm beeinflußten Kloster- und Domschulen in Deutschland?

Am ehesten scheint uns Rabanus heute zugänglich als caritativer Mensch und Seelsorger. Seine Hilfe für Arme und ins Unglück Geratene spricht ganz unmittelbar an. Lebendig wirkt er auch in den Predigten, die nicht nur anspruchsvolle theologische Erklärungen bieten, sondern auch beweisen, daß er die Fehler seiner Schäflein wohl kannte. Er belustigt sich über abergläubische Vorstellungen, tadelt die zuweilen immer noch aufkommende Anhänglichkeit an die alten Götter, schärft beständig ein, daß der Christ teilen muß, daß die Nächstenliebe wichtiger ist als das Fasten und andere religiöse Übungen. Man wird fast an die ironischen Schilderungen englischen Landadels bei Henry Fielding erinnert, wenn Rabanus ausmalt, wie der adlige Jägersmann nach der Heimkehr von der Jagd als allererstes seine Hunde versorgt und dann wohlig an ihrer Seite einschläft, ihnen täglich Futter gibt und nicht einmal bemerkt, daß einer

seiner Hörigen vielleicht Hunger leidet. Auch hier entleht Rabanus vielfach, aber erkennt leichter als in den wissenschaftlichen Werken, worauf es ihm dabei ankommt[28].

MAINZ ZUR ZEIT DES RABANUS

Rabanus hat nie seine Herkunft aus Mainz verleugnet, im Gegenteil, der von ihm angenommene römische Geschlechtername Magnentius soll offenbar auf seine Geburtsstadt hindeuten. Lokalpatriotismus blitzt noch in der selbstverfaßten Grabschrift auf, in der er Mainz einfach als »urbs« ohne Namensnennung bezeichnet. Dieses Wort gebrauchte der Römer in gleicher Weise für sein ewiges Rom, die Hauptstadt des Weltreiches. Die Heimatliebe des heutigen Mainzers richtet sich allerdings auf einen ziemlich verschiedenen Gegenstand, denn die Stadt sah im 9. Jahrhundert wesentlich anders aus als heute. Von den uns Heutigen vertrauten Bauwerken stand damals nichts, selbst der Willigis-Dom mußte noch über hundert Jahre auf seine Gründung warten. Die landschaftliche Lage im Rheinknie, gegenüber der Mainmündung, geschützt von den Bergen des Taunus, sich anlehnend an den Abfall des rheinhessischen Hügellandes, kam damals zweifellos schöner zur Geltung als heute. Nur wenige römische Baureste sind noch so zu sehen wie zur Zeit Rabanus: der Eichelstein, die Römersteine, der Alexanderturm[29]. Selbstverständlich waren sie besser erhalten als heute. Die römische Hinterlassenschaft prägte indessen das Stadtbild des 9. Jahrhunderts sehr viel stärker als die jetzt noch vorhandenen Überreste erkennen lassen. Der für unsere Begriffe enge, die Altstadt nur in den Bleichen überschreitende Mauerring dürfte weitgehend intakt gewesen sein – er wird in den zeitgenössischen Urkunden ständig erwähnt – und machte mit einer Höhe von etwa 10 m einen stattlichen Eindruck. Man sah auch noch die Reste des Kästrich, des alten römischen Lagers, und des römischen Theaters beim heutigen Südbahnhof. Vor den Mauern erhoben sich in den aus der Römerzeit übernommenen Friedhöfen verschiedene Kirchen: auf dem Aureusfriedhof über der Unteren Zahlbacher Straße die Aureus- oder Hilariuskapelle, St. Alban im Süden, St. Theonest am Dimesser Ort im heutigen Industriehafengebiet und vielleicht auch

Alt-St. Peter in der Nähe der heutigen Christuskirche. Die Aureus- oder Hilariuskapelle war die Grablege der vorbonifatianischen Bischöfe gewesen, die von Erzbischof Richulf 805 vollendete, an die Stelle einer römischen Kirche gebaute und für damalige Verhältnisse riesige Albanskirche wurde die neue Begräbnisstätte der Mainzer Erzbischöfe bis zur Vollendung des Willigis-Domes. In St. Alban hatte eines der Konzilien von 813 getagt, deren Tradition Rabanus 847 am selben Ort wiederaufnahm. Von der römischen Rheinbrücke waren die steinernen Pfeiler noch vorhanden. Die von Karl dem Großen darüber errichteten hölzernen Fahrbahnen hatten nur eine kurze Lebensdauer, aber Rabanus hat sie wohl gesehen. Auf der andern Seite erblickte man die Mauern von Kastel und den dazugehörigen Friedhof mit der Georgskirche. Das im Friedhof gelegene Märtyrergrab des hl. Ferrutius hatte an Bedeutung verloren, seit dessen Reliquien nach dem Kloster Bleidenstadt überführt worden waren. Dort ließ Rabanus eine Inschrift für den Heiligen setzen.

Innerhalb der Stadtmauern war nach damaliger Sitte nicht jeder Fleck bebaut, es gab auch große, landwirtschaftlich genutzte Flächen. Zwischen den übrigen Gebäuden ragten die Kirchen hervor. Spätrömisch waren wohl noch der Dom und eine Marienkirche in seiner Nähe. Bischof Sidonius hatte im 6. Jahrhundert die dazugehörige Taufkirche entweder erneuert oder überhaupt neu gebaut. Spätere fränkische Gründungen waren Altmünster, St. Emmeran, St. Quintin, St. Christoph, vielleicht Udenmünster (Vorgängerin der heutigen Peterskirche) und wohl auch St. Ignaz außerhalb der Mauer in dem Vorort Selenhofen. Klerikergemeinschaften oder Mönchskonvente gab es am Dom, in St. Alban, Altmünster (Nonnen) und vielleicht auch schon in St. Viktor bei Weisenau. Außerdem nennen die Urkunden verschiedene andere Kirchen, deren Aufzählung hier nicht belasten soll. Die Häuser des Adels, wie etwa das urkundlich bezeugte Wohnhaus der Eltern Rabanus, darf man sich vielleicht als befestigte Höfe vorstellen. Während diese mindestens zum Teil Steinbauten waren, die wohl auch noch römische Bausubstanz bewahrten, sind in den Behausungen der ärmeren Bevölkerung eher einfache Fachwerkhütten zu sehen. Der Wirtschaftsverkehr konzentrierte sich auf das Rheinufer zwischen Lagerhäusern und Werkstätten. Schiffe fanden Hafenanlagen am schon

erwähnten Dimesser Ort und wohl auch am Fischtor. Insgesamt war die Stadt wesentlich kleiner als heute, für die Zeit aber doch eine stattliche Metropole.

Rabanus' Werke sind nicht die unbedeutendsten, wenn auch vielleicht etwas schwierige Zeugen für das damalige Mainz. Die von ihm gedichteten Inschriften für die Altäre des Doms lassen zum Beispiel erkennen, daß die seinerzeitige Kathedrale bereits eine geräumige Kirche gewesen sein muß, die von Rabanus anscheinend gründlich renoviert wurde[29]. Das Martyrolog und die für Lothar I. verfaßte Predigtsammlung nach Mainzer Brauch stellen des weiteren wichtige Quellen für das kirchliche Leben in Mainz im 9. Jahrhundert dar, Zeugnisse, die bisher noch nicht genügend ausgewertet sind. Der »Magnentius« Rabanus hat also auch dem Mainzer, der seine Stadtgeschichte kennenlernen will, etwas zu bieten und muß nicht nur als der große, schwer zugängliche Gelehrte und Dichter oder als der vorbildliche Heilige angesehen werden.

ANMERKUNGEN

1 Migne, PL 107 Sp. 71.

2 Migne, PL 107 Sp. 42; gleichzeitig räumte Mabillon noch drei andere Angaben des Trithemius hinsichtlich der Geburt Rabanus' beiseite, daß er nämlich in Fulda geboren sei und seine Eltern Ruthard und Aldegunde hießen. Das Jahr der Diakonatsweihe ist überliefert in Cod. Vindobon. lat. 430, einer Fuldaer Version der kleinen Lorscher Chronik aus dem 9. Jahrhundert, hrsg. v. G. H. Pertz, MG SS I Hannover 1826, Nachdr. Stuttgart 1976 S. 120; vgl. auch H. Schnorr von Carolsfeld, Das Chronicon Laurissense breve, Neues Archiv 36 (1911) S. 38, der allerdings den Eintrag zu 801 nicht berücksichtigt.

3 F. Kunstmann, Rabanus Magnentius Maurus. Eine historische Monographie. Mainz 1841; E. Dümmler, Prooemium zu Rabanui Mauri Carmina, MG Poetae II Berlin 1884 S. 154.

4 E. Dümmler, Rabanusstudien, Sitzungsberichte d. Berliner Akad. 1898, I S. 24–42, zusammenfassend auch in MG Epistolae V Berlin 1898/99 S. 379.

5 Referiert von Kunstmann (wie A. 3) S. 13. Die Arbeit Dahls in Buchonia Bd. 3, 2, Fulda 1828, war mir bis Redaktionsschluß nicht zugänglich.

6 Cod. Vindobon. lat. 460, vgl. P. Lehmann, Fuldaer Studien, Sitzungsberichte d. Bayer. Akad. 1925, 3 S. 25. Daß auch anderswo in der Karolingerzeit Geburtsjahre von Klosterpersonen überliefert wurden, zeigt Lehmann ebd. S. 27 f.

7 D. Schaller, Der junge »Rabe« am Hof Karls des Großen (Theodulf. carm. 27), in: Festschrift Bernhard Bischof zu seinem 65. Geburtstag

dargebracht von Freunden, Kollegen und Schülern, hrsg. v. J. Autenrieth und F. Brunhölzl. Stuttgart 1971 S. 133 Anm. 46.

8 H.-G. Müller, Rabanus Maurus, De laudibus sancta (!) crucis. Studien zur Überlieferung und Geistesgeschichte mit dem Faksimile Textabdruck aus Codex Reg. Lat. 124 der vatikanischen Bibliothek (Beihefte zum Mittelrheinischen Jahrbuch 11, 1973) S. 30.

9 K. Holter, Rabanus Maurus, Liber de laudibus sanctae crucis. Kommentar. Kodikologische Einführung. Graz 1973 S. 9.

10 Rabanus Maurus, Martyrologium, hrsg. v. J. McCulloh, Corpus Christianorum, Continuatio Mediaevalis XLIV. Turnhout 1979 S. XI Anm. 3.

11 Es war bisher in der Literatur umstritten, ob Rabanus ein puer oblatus, ein von den Eltern zum Mönch bestimmter Knabe war und wann er nach Fulda ging. Den Nachweis, daß er im Mai 788 puer oblatus wurde, den ich am 22. 11. 1979 im Rabanus-Maurus-Gymnasium in einem Vortrag kurz erläutert habe, werde ich an anderer Stelle ausführlich darlegen. Die nicht umstrittenen Daten werden im folgenden nicht weiter belegt. Jüngste Lebensabrisse geben R. Kottje, Rabanus Maurus – »Praeceptor Germaniae«?, Deutsches Archiv f. Erforschung des Mittelalters 31 (1975) S. 536 ff., McCulloh (wie Anm. 10) S. XI f. und mit ausführlichen Literaturangaben U. Sandmann in: Die Klostergemeinschaft von Fulda im früheren Mittelalter Bd. 1. München 1978 S. 184–186.

12 Schaller (wie A. 7) S. 123–141.

13 Vgl. I. Schröbler, Fulda und die althochdeutsche Literatur, Literaturwiss. Jahrbuch 1 (1960) S. 16 ff.

14 Zur Fuldaer Wirtschaft vgl. den Überblick von F. Staab, Der Grundbesitz der Abtei Fulda bis zur Mitte des 9. Jahrhunderts und seine Stifter, in: Rabanus Maurus und seine Schule. Festschrift der Rabanus-Maurus-Schule (Domgymnasium) Fulda anläßlich der 1200. Wiederkehr des Geburtsjahres ihres Schulpatrons. Fulda 1980.

15 Sehr gut dazu immer noch H. Doerries, Wort und Stunde, Bd. 2. Göttingen 1969 S. 112–128 (zuerst 1937 gedruckt).

16 F. Staab, Rabanus in seiner Zeit, Gymnasium Moguntinum 39, Dezember 1979 S. 12 ff.

17 Vgl. H. Doerries, Wort und Stunde, Bd. 2. Göttingen 1969 S. 130–139.

18 Ep. 56 cap. 34, hrsg. v. E. Dümmler, MG Epistolae V Hannover 1898/99 S. 514

19 Concilia Germaniae, hrsg. v. J. F. Schannat und J. Hartzheim, Bd. 2. Köln 1740, Nachdr. Aalen 1970 S. 154 cap. 16–19, S. 159 cap. 27.

20 Migne, PL 107 Sp. 106. Die weitere Angabe des Trithemius, daß Rabanus in Winkel gestorben sei, ist offenbar eine freie Konjektur und verdient kaum Glauben.

21 Vgl. unten den Hinweis in der Vorbemerkung zur Abteilung 9: Weiterleben.

22 Vgl. MG Epistolae (wie Anm. 18) S. 523 f., S. 528 f.

23 P. Lehmann, Zu Rabanus geistiger Bedeutung, in: Sankt Bonifatius. Gedenkgabe zum 1200. Todestag. Fulda 1954 S. 476.

24 Vgl. E. Heyse, Rabanus Maurus' Enzyklopädie »De rerum naturis«. München 1969; M. Rissel, Rezeption antiker und patristischer Wissenschaft bei Rabanus Maurus. Studien zur karolingischen Geistesgeschichte. Bern, Frankfurt am Main 1976; auch die neuen Editionen des Martyrologs durch McCulloh und des Computus durch Stevens in dem oben Anm. 10 genannten Band. Als Vorreiter darf die Ausgabe Rabanus Maurus, De institutione clericorum libri tres, hrsg. v. A. Knöpfler. München 1902 gelten.

25 Vgl. etwa Ep. 44, MG Epistolae (wie Anm. 18) S. 490–499.

26 MG Poetae II (wie Anm. 3) S. 157, 159.

27 Kottje (wie Anm. 11) S. 534–545.

28 Vgl. F. Staab, Untersuchungen zur Gesellschaft am Mittelrhein in der Karolingerzeit. Wiesbaden 1975 S. 368 f.

29 Erläuterungen zur Topographie im Führer zu vor- und frühgeschichtlichen Denkmälern, Bd. 11. Mainz 1969, zur Bebauung im 8./9. Jahrhundert bei L. Falck, Mainz im frühen und hohen Mittelalter (Mitte 5. Jahrhundert bis 1244). Düsseldorf 1972 S. 51 f.

30 W. Meyer-Barkhausen, Die Versinschriften (Tituli) des Rabanus Maurus als bau- und kunstgeschichtliche Quelle, Hess. Jahrbuch f. Landesgeschichte 7 (1957) S. 75–78, Staab (wie Anm. 28) STG. 129 f. Anm. 540.

Kapitell aus Solnhofen,
8. Jh.
Foto: Römisch Germani-
sches Zentralmuseum Mainz

Sog. »Stufenkapitell« aus
Lorsch, 8. Jh.

Künstlerische Komponenten im Werk und Wirken des Rabanus Maurus

Von Wilhelm Weber

Rabanus Maurus, von 822 bis 842 Abt des Klosters Fulda, von 847 bis zu seinem Tode im Jahre 856 Erzbischof von Mainz und damit höchster geistlicher Würdenträger des größten Erzbistums, war einer der produktivsten Autoren seiner Zeit. In Aachen, Tours und in Fulda hatte er sich eine umfassende Bildung angeeignet und aus ihr eine weitreichende Bildungslehre entwickelt. Seine eindringliche Unterweisung im christlichen Glauben, seine Wissensvermittlung, seine besondere Fähigkeit, eine immense Fülle des Stoffes enzyklopädisch zusammenzufassen und zu ordnen, werden mit Recht immer wieder hervorgehoben.

In neuester Zeit hat man sich mit den Quellen, das heißt mit den Schriften des Rabanus selbst intensiver als früher beschäftigt und damit Nebelbänke aufgelöst, die vieles verdeckten. So haben beispielsweise Elisabeth Heyse 1969 das Kompendium »De rerum naturis« und B. Taeger die Zahlensymbolik des Rabanus untersucht. 1976 veröffentlichte Maria Rissel ihre Dissertation »Rezeption antiker und patristischer Wissenschaft bei Rabanus Maurus«. 1973 legte Hans-Georg Müller seine Dissertation »Rabanus Maurus – De laudibus sanctae crucis« vor, – zwei vorzügliche Beispiele dafür, daß im umfangreichen Werk des Autors aus karolingischer Zeit Themen enthalten sind, die der wissenschaftlichen Forschung noch immer Fragen stellen und Antworten abverlangen. Ein Symposion, das die Akademie der Wissenschaften und der Literatur in Mainz im September 1980 aus Anlaß des 1200. Geburtsjahres von Rabanus Maurus durchführt, bringt mehrere Vorträge, die sich ebenfalls mit Spezialthemen der Rabanus-Forschung beschäftigen.[1]

Wenn nun 1200 Jahre nach der Geburt des aus Mainz stammenden Seelsorgers und Gelehrten (das exakte Geburtsjahr wird bei der Quellenlage offen bleiben und »um 780« zu bezeichnen sein) Gestalt, Leistung und Wirkung in schärferen Umrissen hervortreten, so haben dazu auch Hinweise auf sein literarisches Schaffen beigetragen, das – für ihn und seine Zeit selbstverständlich –

in christliche Glaubensgrundsätze eingebunden bleibt. »Liber de laudibus sanctae crucis« heißt sein erstes religiös-poetisches Werk. Es enthält mehrere interessante bildliche Darstellungen, – Anlaß dazu, daß Ausstellungen wie »Werdendes Abendland« (Villa Hügel, Essen 1956) und »Karl der Große« (Aachen, 1965) dieses Werk einbezogen. Gedanken über dessen malerische und graphische Sonderheiten schlugen im wahren Sinne des Wortes »zu Buch«, u. a. in Abhandlungen von Paul Clemen, Julius von Schlosser, H. J. Herrmann, Florentine Mütherich, Peter Bloch und Kurt Holter. Seit 1973 liegt das »Lob des Kreuzes« in einer vorzüglichen Faksimile-Ausgabe nach der Wiener Handschrift vor.[2]

Einer Ausstellung in einem Museum, das nicht mumifiziert, sondern Vergangenheit lebendig werden läßt, steht es gut an, auch die künstlerischen Komponenten im Werk und Wirken des Rabanus deutlicher aufzuzeigen, als das bisher geschehen ist. Sie sind nicht nur in der im 9. und 10. bis ins 15. und 16. Jahrhundert abgeschriebenen Handschrift und ab 1501/03 in den Druckexemplaren des »Lob des Kreuzes« enthalten, sondern auch in metrisch gefaßten Grabschriften für Kaiserin Irmingard, Kaiser Lothar I., für die Erzbischöfe Haistulf und Otgar von Mainz, für Abt Hatto von Fulda, den Freund des Rabanus, für den Abt von St. Denis und für den Autor selbst. Rabanus hat zahlreiche Hymnen zu Ehren verschiedener Heiliger verfaßt. Auch die Hymne »Veni creator spiritus«, die heute noch aus festlichen Anlässen im Gregorianischen Choral aufklingt, soll von Rabanus stammen, was jedoch in jüngster Zeit von J. Szövèrffy bestritten wurde.[3] Maria Rissel macht jedoch überzeugend darauf aufmerksam, daß Rabanus sehr wohl als Bearbeiter eines schon vorhandenen Textes, den er zur Hymne umformte, angesehen werden kann. An mehreren Stellen seiner Werke hat er der »wirkenden Kraft des Heiligen Geistes als Bedingung des sakramentalen Geschehens einen breiten Raum gewidmet«.[4]

Gehalt und Form dieser Hymne haben schon 1668 Angelius Silesius zur Übertragung ins Deutsche angeregt. Am 11. April 1820 notierte Johann Wolfgang von Goethe in sein sorgfältig geführtes Tagebuch: »Abschrift der Übersetzung Veni creator spiritus«. Bereits am nächsten Tag schickte er die Übertragung der alten Hymne seinem Freund Carl Friedrich Zelter, Leiter der Berliner Singakademie. Im begleitenden Brief heißt es: »Zu beiliegender Hymne wünsche ich eine wahrhaft Zelterische Komposition, damit solche jeden Sonntags vor meinem Hause chormäßig möge gesungen werde«. Zelter erfüllte den Wunsch, und wenn wir auch nicht zu sagen vermögen, in welcher Weise Goethe von Zelters »chormäßiger Komposition« Gebrauch machte, so spricht allein schon seine Absicht, die Hymne »jeden Sonntags vor meinem Hause« zu hören, für die hohe Wertschätzung.

Unabhängig davon, ob nun Rabanus Autor oder Neugestalter dieser Hymne ist, – als Dichter wurde er schon zu seiner Zeit und auch späterhin gefeiert. Sigbertus Gemblacensis, Vicentius Bellovacensis und Antonius nennen ihn einen »Dichter wie kein zweiter unter den Poeten seiner Zeit«. Gaspar Bruschius setzte sicherlich etwas übertrieben hinzu: »cui nec Italia similem nec Germania peperit aequalem«. Dieses Lob wiederholt sich auch in Schriften des Johannes Trithemius, des Sponheimer Benediktinerabtes. Rabanus war für ihn nicht nur der »philosophus clarus, rhetor facundus, astronomus et computista celeberrimus, Graece, Latine et Hebratice peritus«, sondern auch ein »poeta subtilissimus« und ein »poeta insignis«.[5]

So wird es verständlich, daß der humanistisch gebildete und mit bedeutenden Humanisten verkehrende Kardinal Albrecht von Brandenburg, Erzbischof und Kurfürst von Mainz, Trithemius mit der Abfassung einer – allerdings nicht stichhaltigen – »Vita« des Rabanus – als »gelehrten Beitrag« zur Überführung der Gebeine des 856 in St. Alban zu Mainz beigesetzten Rabanus in das berühmte Heiltum in Halle im Jahre 1515 beauftragt hat. Fünf Jahre nach der Überführung erschien ein »Vorzeichnus und Zeigung des hochlobwürdigen heiligthumbs zu Halle«, in dem auch der »übersilberte sarch des heiligen Rabani« abgebildet ist. Wir bilden diesen mit streng gefügten Ornamenten und Kreuzblumen versehenen Sarkophag auf Löwenkrallen erstmals nach einer Radierung ab, die Johann Christoph von Dreyhaupt 1749 von jenem 1520 erschienenen Heiltumsbuch übernommen hat. In der Li-

teratur ist oft danach gefragt worden, wo der Sarkophag nach Aufhebung des Heiltums im Jahre 1541 verblieben sein könnte. Von Dreyhaupt gibt im Jahre 1749 an, der Sarkophag sei mit dem »gesamten Schatz der Neuen Hallenser Stiftskirche nach Mainz gekommen, allwo er noch

19

Dom (Neues Stift) zu Halle, Aufbewahrungsstätte des »Heiltums« von Kardinal Albrecht von Brandenburg. Kupferstich 17. Jahrhundert

in der Domkirche aufbehalten und gezeigt wird«. Der silberne Sarkophag des Rabanus war jedoch sehr wahrscheinlich zum damaligen Zeitpunkt längst die Beute von Plünderern geworden.[6]

Unzweifelhaft hatte das Interesse der Humanisten an den Schriften des Rabanus dazu beigetragen, die erste Gesamtausgabe seiner Werke zu besorgen. Nach dem Druck einzelner Schriften wie »Liber de laudibus sanctae crucis«, »De institutione clericorum«, »De fide Christiana« und »De virtutibus, vitiis, ac caeremoniis antiquae Ecclesiae« in Pforzheim (1501/05), Köln (1532/44), Basel (1534/57), Wien und Venedig, Antwerpen (1560) und Rom (1590) erschienen 1627 in Köln die Schriften von Rabanus in sechs gedruckten Bänden. Diese wertvolle

Ausgabe war von Georg Colvenerius bearbeitet worden. Der Titel lautet: »Hrabani Mauri Abbatis primum Fuldensis, postea Archiepiscopi Moguntini, Opera«. Die Ausgabe enthält nahezu 1500 eng gedruckte Seiten und nennt über 70 Titel von umfangreichen Abhandlungen in lateinischer Sprache.

Zu diesen Werken sind noch Übersetzungen ins Althochdeutsche hinzuzurechnen, die von Rabanus angeregt wurden. Er selbst hielt Predigten in althochdeutscher Sprache. Um 800 war im Kloster zu Fulda das »Hildebrandslied« in dieser Sprache aufgezeichnet worden. Ein Schüler von Rabanus, Otfrid von Weissenburg, verfaßte ein Evangelienbuch (auch Evangelienharmonie genannt), das unter dem Titel »Krist« in die Literaturgeschichte

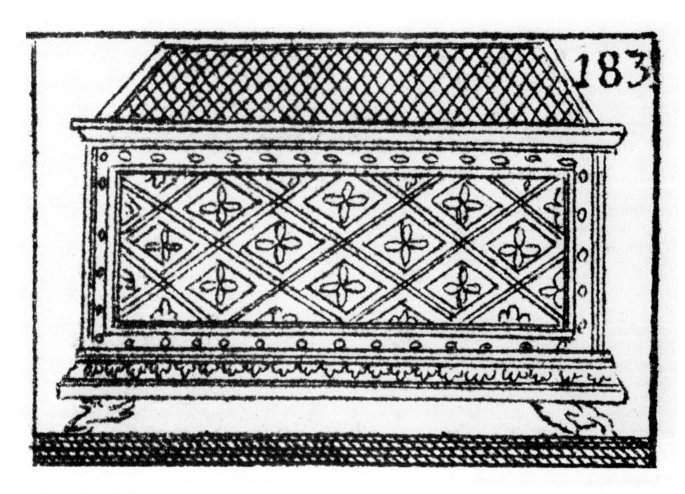

Versilberter Schrein für die Gebeine des Rabanus Maurus, ehemals im Heiltum Halle, 1515

einging. An die Stelle des Stabreimes setzte Otfrid den Reimvers und leitete damit (zwischen 860/70) eine neue Epoche der deutschen Dichtung ein. Auch auf das altsächsische Gedicht »Heliand« ist hinzuweisen, das Ludwig der Fromme in Auftrag gab, und zu dem Rabanus eine Vorrede schrieb.

Künstlerische Werkstätten in Fulda

Anregungen zur Entfaltung von Wissenschaft und Kunst in Fulda gingen in starkem Maße vom Hofe Karls des Großen aus, führten aber zu eigenen Leistungen, wie Dieter Groszmann in seiner Abhandlung »Kloster Fulda

und seine Bedeutung für den frühen deutschen Kirchenbau« bündig dargelegt hat.[7] Rabanus konnte als Abt den von Ratgar begonnenen Neubau der großen Basilika übernehmen und die Arbeiten am neuen Kloster mit vierseitigem Kreuzgang zu Ende führen. 820/22 war die Benediktiner-Propsteikirche St. Michael mit ihrer Hallenkrypta errichtet worden. Rabanus gründete die Propsteikirche auf dem Petersberg und weihte sie 836 ein. In Rasdorf ließ er eine zweite, größere Klosterkirche erbauen, in die als Reliquien die Gebeine der Märtyrerin Caecilia und der Märtyrer Tiburtius und Valerian kamen. Von der Bautätigkeit des Rabanus soll noch der Neubau der Kirche auf dem Johannesberg erwähnt sein. In allerjüngster Zeit hat die Außenstelle Marburg des Landesamtes für Denkmalpflege unter der jetzigen Kirche alte Fundamente freilegen können, von denen diejenigen in der Schicht II möglicherweise zur abgetragenen Klosterkirche des Rabanus gehören.[8]

Wir führen dies an, um zu verdeutlichen, daß der tatkräftige Abt von Fulda auch für die Ausstattung neuer Kirchen zu sorgen hatte. Er konnte dies mit Hilfe vorzüglicher künstlerischer Werkstätten in Fulda. Er ließ plastische Bildwerke, Gemälde, Mosaiken, Teppiche herstellen, auch Gold- und Silberschmiedearbeiten, für deren herausragenden Fertiger – Mönch Isanbert – Rabanus die Grabschrift dichtete. Für die Herstellung zahlreicher Reliquiare benötigte Rabanus ebenfalls die Gold- und Silberschmiedewerkstatt. Er stattete sie mit finanziellen Mitteln aus, um genügend Materialien kaufen zu können, mit denen Aufträge auch von außen ausgeführt wurden. Ökonomische Hilfestellung führte zur Vermehrung der Einnahmen, mit denen die umfangreichen Aufgaben gelöst werden konnten.

Eine zeitgenössische Quelle nennt als ein Hauptwerk der Fuldaer Werkstätten das Ciborium über dem Grab des heiligen Bonifatius in der Ratgar-Basilika. Vier Säulen und das Dach, auch ein innerer Bogen bildeten den steinernen Überbau, der mit Gold, Silber und Edelsteinen verziert war. Am Gehäuse waren Figuren verschiedener Heiliger angebracht. Der Verlust dieses Ensembles aus architektonischen und plastischen Elementen kann nicht hoch genug eingeschätzt werden, ebenso der Untergang der Wandmalereien des Mönches Bruun in der Westapsis der Basilika, deren Entstehung der Mönch Rabanus miterlebt hatte. Während seiner Studien unter der Leitung des großen Alkuin hatte er nicht nur den antiken Bildungszyklus der »artes liberales« – Arithmethik, Geometrie, Astronomie, Grammatik, Rhetorik, Dialektik und Musik – als »Nutzen geistlicher Schulung«, wie Rabanus im dritten Buch »De institutione clericorum« schrieb, kennengelernt. Gerade in Aachen waren ihm Meisterleistungen der »artes mechanicae« – Malerei, Bildhauerei, Architektur – bekannt geworden. Selbstverständlich war die Kunstfertigkeit – ganz im Sinne der damaligen Zeit – Teilhabe »an der objektiven Schönheit, die Gott allein über die Welt auszustrahlen vermag«. Kunst als eine Art Zwischenbereich, in der der Geist vom Sichtbaren zum Unsichtbaren aufsteigt, um wieder ins Sichtbare zurückzukehren ... Rabanus Maurus, homo religiosus, nutzte als Abt und Erzbischof die »artes mechanicae«, um die unsichtbare Wirklichkeit Gottes, des Gottessohnes und die Heiligen im Kunstwerk zu vergegenwärtigen. Dies festzustellen ist umso notwendiger, weil der 30jährige Rabanus, der Autor von »Liber de laudibus de sanctae crucis«, noch Auswirkungen des Bilderstreites ausgesetzt war, – mit allen Widersprüchen zur Bilderverehrung, in der die Darstellung des Kreuzes als verehrungs- und anbetungswürdiges Zeichen eine besondere Rolle spielte.

Die Einstellung des Rabanus zur bildenden Kunst entsprach weitgehend einer tradierten Auffassung vom Sinn und Zweck der Kunst im Dienst des Religiösen, hat sich aber sicherlich in einem gewissen Prozeß artikuliert. In seiner Praefatio zum »Lob des Kreuzes« verweigert er sich den ausgesprochenen Bildergegnern. Einige Stellen seiner Enzyklopädie »De Universo« geben Auskunft. Dieses umfangreiche Werk, das innerhalb der Kölner Gesamtausgabe von 1626 allein 220 Druckseiten einnimmt, war Ludwig dem Frommen und Bischof Heymon gewidmet und stützt sich auf ältere Quellen. Die Abhandlungen beziehen die Gestirne ebenso ein wie den Ackerbau, Überlegungen über das Licht und den Schatten, Angaben über Waffen, über Gold, Silber und Edelsteine, Erläuterungen über das System der Zahlen, Erkenntnisse über Medizin und Botanik, Ausführungen über das Theater, über die Musik. Rosario Assunto hat in seinem Buch »Die Theorie des Schönen im Mittelalter« als einzigen Auszug aus »De universo« Aussagen über die Musik veröffentlicht.[9] Nun verdienen auch diejenigen Stellen, die sich auf Architektur und auf Bilder beziehen, unsere Aufmerksamkeit, denn gerade sie sagen etwas über die Vorstellungen aus, die Rabanus als Bauherr und Förderer der Künste aus früherer Zeit übernommen hat.

Am Beispiel des Kapitels 4 des 21. Buches sehen wir deutlich, in welcher Tradition Rabanus bei der Definition des Begriffes »venustas« (Anmut, Schönheit) steht. Rabanus schreibt, venustas bedeute, »was immer den Bauwerken als Ornament oder Schmuck beigegeben sei wie die goldverzierten Kassetten der Decken, die kostbaren Verkleidungen durch Marmor und die farbigen Malereien«. Wir zitieren den lateinischen Text: »Venustas est quicquid illud ornamenti et decoris causa aedificiis additur, ut tectorum auro distincta laquaearia, et preciosi marmoris crustae, et colorum picturae«. Ganz genau so – und

HRABANI MAVRI, ABBA-
TIS FVLDENSIS, ET ARCHIEPISCOPI
MOGVNTINI, DE VNIVERSO
Libri XXII.

EPISTOLA RABANI AD LVDOVICVM
Regem inuictiffimum, &c. incipit fœliciter.

zwar wortwörtlich – steht es im Werk »Etymologiae« des Bischofs Isidor von Sevilla (geboren in der zweiten Hälfte des 6. Jahrhunderts, gestorben 636). Mit anderen Worten: Rabanus hält sich in seiner Definition an einen Autor, der zweihundert Jahre früher lebte, wobei zu untersuchen wäre, woher dieser seine Definition bezogen haben mag.

Elisabeth Heyse hat in ihrer Quellenuntersuchung auf das unmittelbare Zurückgreifen auf Cassiodors »Institutiones«, auch auf Bedas »De natura rerum« aufmerksam gemacht. Das Adaptieren, Kompilieren, Verzicht auf Originalität, – all dies gehört zur Wissenschaftsmethode jener Zeit. Zitate aus der Bildungslehre eines Augustinus, Exzerpte aus den »Institutiones grammaticae« eines Priscianus sind keine »Plagiate« im modernen Sinn, sondern Quellen, die in der Gegenwart und in der Zukunft weiterfließen sollen.

In einem kurzen Kapitel in »De universo« geht Rabanus auch auf die Architektur ein. Wiederum repetiert er wörtlich Isidors Aussagen: »Die Griechen nannten die Handwerker oder Künstler rectarios, das heißt instructores, Architekten aber sind Maurer, die die Fundamente disponieren. Zum Bauen gehört dreierlei: Disposition, Konstruktion und Anmut (venustas)«.

Nach längeren Ausführungen über die Konstruktion von Bauwerken erläutert Rabanus die Holzdecken, Marmorverkleidungen (Inkrustation) und Mosaiken (Lithostrota), die als »sorgfältige Arbeiten aus ganz kleinen viereckigen Steinen, in der Art der Malerei aus verschiedenen Farben« bezeichnet werden. Rabanus weist auch auf die mit Farben bemalten Plastiken hin, die auch aus Erde oder aus Gips sein können (terra vel gipso). Im Kapitel über die Farben wird gesagt, sie würden verschiedene Arten der Tugenden bedeuten. Die Farbe Rot spiele auf die Passion Christi an.

Von Bedeutung ist die äußerst knappe Formulierung »De pictura«, die präzis wie eine dogmatische Aussage abgefaßt ist. »Pictura est imago exprimens speciem rei alicuius, quae dum visa fuerit, ad recordationem mentem reduxit«. Zu deutsch: »Ein Gemälde ist ein die äußere

Erscheinung irgendeiner Sache ausdrückendes Bild, das, solange man es betrachtet, den Geist zur Erinnerung zurückführt«. Diese Aussage wiederholt eine festgelegte offizielle Meinung, die sich in dem lange währenden Bilderstreit herausgebildet hat. Wir erinnern daran, daß der byzantinische Kaiser Leo III. 726 und 730 Dekrete des Bilderverbotes und der Bildervernichtung erlassen hat, die zwar auf dem Konzil von Nicäa von 787 aufgehoben, endgültig aber erst auf dem Konzil zu Konstantinopel im Jahre 842 beseitigt wurden. Zuvor war noch auf der Synode in Frankfurt (794) und auf jener in Paris (825) über die Bilderfrage verhandelt worden.

Für die ursprüngliche Haltung des Karolingischen Hofes in diesem Streit können die »Libri Carolini« herangezogen werden. Wir wissen nicht, in wessen Hände deren Redaktion lag. Karl der Große selbst soll der »spiritus rector« gewesen sein. Vielleicht ist Alkuin, dem Lehrer von Rabanus, ein gewisser Einfluß zuzuschreiben. Rabanus hat in einer Epistel seinen Freund Hatto vor dem »trügerischen Schein der Malerei« gewarnt und auch in einem Gedicht seine Bedenken gegenüber den Bildern geäußert:

»Nam pictura tibi cum omni sit gratior arte,
Scribendi ingrate non spernas posco laborem.
Psallendi nisum, studium curamque legendi,
Plus quia gramma valet quam vana in imagine forma
Plusque animae decoris praestat quam falsa colorum
Pictura ostentans rerum non rite figuras.«

Nach dem Weggang Alkuins nach Tours setzte sich die Auffassung durch, Kunstwerke seien keine Idole, das Bild werde geschaffen, »um an Begebenheiten der Vergangenheit zu erinnern«.

ILLUMINIERTE HANDSCHRIFTEN. – »LOB DES KREUZES«

Der Vertiefung im Glauben und der Wissensvermittlung dienten auch in Fulda eine große Bibliothek und ein Scriptorium, über dessen Eingang Distichen zu lesen waren, deren letzte Verszeilen lauteten: »Herrliche Arbeit ist's, die heiligen Bücher zu schreiben, und seines Lohnes wird gar sehr der Schreibende froh«. Außer den »heiligen Büchern« wurden auch Texte von Cicero, Vergil, Horaz und Ovid abgeschrieben und – wie schon erwähnt – althochdeutsche Dichtungen.

Die Forschung hat dargelegt, welche große Rolle der karolingischen Buchmalerei zukommt. Von der monumentalen Malerei haben sich nur wenige Beispiele erhalten, u. a. in der Krypta von St. Maximin in Trier, in der Kathedrale von Auxerre, in der Saalkirche zu Münster/Graubünden, einige Fragmente in der Abteikirche von Corvey, Spuren in Lorsch. Die karolingische Buchmalerei hingegen breitet heute noch eine Fülle von vorzüglich erhaltenen Meisterwerken aus, – vom prunkvollen Godescale-Evangeliar angefangen über die Buchmalereien der sogenannten Ada-Gruppe (mit Trier als wichtigstem Zentrum), über das Evangeliar aus Lorsch, bis zum Evangeliar des Kaisers Lothar und zum Psalter Ludwigs des Frommen. Man scheut sich fast, nur diese Werke zu nennen und auf Hinweise auf andere zu verzichten. Es soll jedoch angedeutet sein, daß das Scriptorium in Fulda eines unter den vielen Scriptorien jener Zeit war, – und keineswegs das unbedeutendste wie erhaltene Handschriften beweisen, darunter die beiden Evangeliare aus dem zweiten Viertel des 9. Jahrhunderts in den Universitätsbibliotheken in Erlangen und Würzburg.

Im Zusammenhang mit den illuminierten Handschriften aus Fulda wird immer wieder das Werk des Rabanus »Liber de laudibus sanctae crucis« genannt. Es gibt kaum eine wichtige Publikation über karolingische Kunst, in der es unerwähnt bleibt.[10] Diese Handschrift enthält zwei Dedikationsbilder und 29 Figurenbilder (»carmina figurata«), die in den Text eingebunden sind, darunter eine Darstellung des gekreuzigten Christus, ein Bild des Kaisers Ludwig des Frommen und ein Devotionsbild, das sich auf Rabanus selbst bezieht. Andere Darstellungen zeigen eine Seraphim-Cherubim-Gruppierung, die Evangelistensymbole mit dem Agnus Dei. Hinzukommen schematisch gesetzte Buchstaben und geometrische Zeichen, die wie die körperhaften Figuren alle in Beziehung zur Form des Kreuzes gesetzt sind.

Es kann hier nicht der Ort sein, die Entstehungsgeschichte der Handschrift, die Varianten des Originals und deren Verhältnis untereinander zu erläutern. Wir verweisen auf Kurt Holters ausführliche Kommentare zur Faksimile-Ausgabe des Wiener Exemplars, vor allem auch auf die Dissertation von Hans-Georg Müller aus dem Jahre 1973. Diese ausgezeichnete Studie zur Überlieferung und Geistesgeschichte der Vers- und Prosatexte des »Lob des Kreuzes« (mit schwarz-weißer Reproduktion

AST·SOBOLES·DOMINI·ET·DNS·DOMINANTIVM·VBIQ·HIC
EXPANSIS·MANIBVS·MOREM·FORMANTIS·HABENDVM·EN
PERDOCET·HVNC·VNVM·GREX·IVSTIFICAT·COLIT·ATQE
ET·SIC·MORE·FATIGANT·HI·XPV·CENAM·SVA·MEMBRA·HAC
RITE·PROBANT·PLEBES·VBI·SPONDETQE·PARENTEM
NA·HVNC·SCRIPTVRA·[...]·RVM·CVLMINE·IESVM
ET·PROBO·QVOD·REX·ASTIVEX·INVENTA·MALORVM·EST
QAE·OCCIDIT·REGEM·SVVS·TAMEN·ATQE·POTENTER
TELA·RVPIT·VAH·MARTIS·DVMATA·CONPLENS
PRIMVM·NOS·SIM·ALACRE·BITET·MALE·QVISQ·HINC
AETERNV·DOMINV·TACET·O·AVCTOR·SANC·HIC·ORBEST
TRADIS·VMMI·CVNCTA·DECENT·QVIA·SANGVINE·DEMTAM
DEXTERA·DERIPVIT·PRAEDAM·PROBA·SANCTA·PROFVNO
IN·CRVCE·SIC·POSITVS·DE·[...]·RAT·DEVS·ARCE·CORDI
PRINCIPIVM·HIC·DEVS·EMMANVEL·AC·FINIS·ORIG·EST
LVX·ET·IMAGO·PATRIS·OS·SPLENDOR·GLORIA·CRISTVS
HOMOYSION·PATRI·O·VERBVM·ET·LVMINE·LVMEN·CVM
AEQVA·MANDO·DOMINI·SEV·VIRTVS·DVX·QE·PROPHETA·EST
QVEM·VNIGENAM·IVSTE·QEM·PRIMIGENA·ORE·FATEMVR
NAZAREVS·QVVM·OFFENS·OPIT·AC·SCANDAL·INIQVIS
ANGVL·ATQVE·LAPIS·SE·SANS·VR·O·HINC·IANVA·MVNDO
INDVTAE·VERITAS·VESTE·QVID·DOGMATE·CHRISTVS
INDICET·EXPONAT·LEGEM·PARVA·HAEC·QVOQVE·VESTIS
SIGNIFICAT·NAM·QE·HIC·TOGITVR·IN·GRAMMATE·RARO
SVMMIPOTENS·AVCTOR·QVI·CONTINET·OMNIA·RECTOR
ATQVE·MVNDVS·PERTINET·ASTRA·AC·PONTE·AETHER
NOSTRAQ·NATVRA·ARTA·ATQVE·SOCIATA·CREANTI·EST
NAM·AVCTOREM·HAEC·ILLVM·PAL·QI·CLAVDIT·ET·ARVA
OBTEGIT·HVMANO·AVT·CLAVDIT·VISV·ECCE·POTENTEM
IPSE·TAMEN·OSTENS·VBIQ·ES·VO·ESTO·PER·ORBI·HVIC
ANGELVS·HVIC·SPONSVS·ST·EST·DEVOTIO·PLEBI·ET
ATQ·DOCENS·SAPIENT·PACIFICVS·QVOQVE·CVSTOS
FONS·BRACHIVM·ET·PANIS·DIVA·QE·PETRA·MAGISTER
STELLA·ORIENS·QI·ET·CVRA·POTENS·INTENTA·MEDELA
CLAVIS·ET·HIC·DAVID·LAETA·VIA·ET·AGNVS·HONESTVS
SERPENS·SANCTIFICANS·IN·LVSTRIS·FIT·MEDIATOR
VERMIS·HOMO·ISQE·RE·TRAXIT·AB·HOSTE·VITA·RAPINAM
MONS·AQVILA·PARACLYTVS·SIC·LEO·PASTOR·ET·EDVS
FVNDAMENTVM·OVIS·SAC·REDDENS·PIE·VOTA·SACERDOS
MELCHI·PONTIFICIS·SADE·CVI·NVM·QVOQVE·PANEM·ET
QI·VITVLVS·ARIES·CAR·NE·DE·QVAE·SACRA·F·INCTVS
VICTIMA·PATRE·QC·VBENES·IT·SATVS·ABSQVE·CADVCO
QVIDAM·PNA·SENSIT·ET·L·GNE·QVI·OMNIBVS·ANTE·EST
QI·ASTRA·EST·SIDERA·DE·VT·OMNIA·LVCIFER·VANTE
VIRGINE·HIC·EST·NATVS·MATRE·CVM·TEMPORE·IN·ARTO
ATQVE·HOMINEM·MVTSERVARET·ADPRA·HIC·CRVCIS·VIT
QVI·EST·SATOR·AETERNVS·XPS·BENEDICTVS·IN·AEVVM

◄ Christus aus »De laudibus sanctae crucis«

Ludwig der Fromme in »De laudibus sanctae crucis«. 1. Hälfte 9. Jahrhundert Nationalbibliothek Wien

der Handschrift in der Vaticana) führt die Aufbewahrungsorte aller erhaltenen Handschriften auf und setzt sich für eine gerechte Beurteilung des Schriftstellers Rabanus ein, dem nach der karolingischen Bildungsreform (rectitudo) daran lag, »Fehler in älteren Quellen zu korrigieren, Falsches und Unzeitgemäßes auszusondern und das Richtige zusammenzufassen«.

Aus dem Zeitraum vom 9. bis zum 16. Jahrhundert haben sich rund 50 Abschriften des »Lob des Kreuzes« erhalten. Eine hatte Rabanus an Papst Gregor IV. geschickt, der jedoch beim Eintreffen des Exemplares in Rom nicht mehr unter den Lebenden weilte, so daß Papst Sergius die Handschrift entgegennahm. Weitere Abschriften erhielten Kaiser Ludwig der Fromme, Eberhard von Friaul, die Äbte Haistulph und Otgar, auch Hatto, der an dem Werk mitgearbeitet hatte und der Abt von St. Denis. Rabanus hatte gefordert, bei den Abschriften »nichts an Gestalt der Figuren und Verteilung der Buchstaben zu ändern, weil es dadurch an Wert verliert und damit das Werk nicht mehr als das Meinige anerkannt werden kann«. Dennoch blieb es nicht aus, daß die verschiedenen Exemplare unterschiedliche Darstellungen und Qualitäten aufweisen. Änderungen waren durch die wechselnden Empfänger, aber auch durch die verschiedenartigen Leistungen derjenigen gegeben, die die Handschriften wiederholten. Dies zeigt schon ein Vergleich des Wiener Exemplares mit demjenigen in der Bibliotheca Vaticana, dem auch Hans-Georg Müller einen ganz besonderen Rang zuerkennt. Die Handschrift in Rom soll nach H. Zimmermann (wiederholt von P. Bloch) von zwei verschiedenen Schreibern – der eine um 810, der andere erst nach 831 – illuminiert worden sein. Noch im 15. Jahrhundert wurden u. a. in Augsburg, Köln und in Mainz Abschriften vorgenommen. Gegen Ende des 16. Jahrhunderts forderte Kaiser Rudolf II. eine Handschrift an, um sie in Prag kopieren zu lassen, – lange nachdem das Werk erstmals gedruckt worden war.

Der Inhalt des Werkes ist – wie der Titel besagt – dem Lob des Kreuzes gewidmet. Das Kreuz nicht als Zeichen der Passion Christi, sondern als Signum des in Herrlichkeit von den Toten auferstandenen Königs der Könige. Die Form des Kreuzes erscheint entweder unmittelbar oder in der Art einer Chiffre, bleibt sinnbildhaftes Zeichen innerhalb der Buchstaben. Der Text integriert dieses zentrale Zeichen, das sich in »mystische Figuren«

verwandelt, – wie Rudolf, ein Schüler des Rabanus, schon geschrieben hat. Das Kreuz ist das Zeichen für Christus. Zu preisen ist Christus, »der seinen Getreuen das himmlische Reich gibt«, wie es im Text des Rabanus heißt. »Christus ist Anfang und Ende des Universums, Licht vom Licht, der Adler, der nach der Höhe strebt, der Mittler zwischen Gott und den Menschen, der gute Hirte und das Lamm, das unsere Sünden trägt«.[11]

Aus der »Adoratio crucis«, die im 4. Jahrhundert in Jerusalem einsetzte, wird bei Rabanus ein einziger Lobgesang, der selbstverständlich nicht ohne Vorbilder ist. Zu ihnen gehört sicherlich auch ein Hymnus von Venantius Fortunatus, Bischof von Poitiers (Ende des 6. Jahrhunderts), Verfasser der Schrift: »De signaculo sanctae crucis«. Was dem Werk des Rabanus eine so große Wertschätzung sicherte, war die Umschmelzung des Stoffes, an der auch Alkuin, der Lehrer des Rabanus beim Beginn der Arbeit Anteil hatte. Man sollte bei der Frage nach der zeitlichen Festsetzung des Anfanges mit den Arbeiten am »Lob des Kreuzes« so rasch nicht über ein Schreiben Alkuins an Rabanus hinweggehen, in dem Alkuin den jungen Autor ermuntert, das Werk fortzusetzen. Die Originalhandschrift war um 810 abgeschlossen.

Der Text mit den Figuren ist dergestalt geschrieben, daß die einzelnen, voneinander getrennten, in gleichem Abstand nebeneinander und übereinander gesetzten Buchstaben die regelmäßig aufgeteilte Blattfläche bedecken. So wird auch der Corpus des gekreuzigten Christus in die Buchstaben eingezeichnet, – ohne Kreuz, er ist das Kreuz selbst, das in den anderen Figurengedichten durch Zeichen der Kreuzesform allein oder im Ensemble mit Symbolen dargestellt wird. In bestimmten Bilddetails sind für sich selbst stehende Sätze zu lesen. Die Konstruktion solcher Figurenbilder – »carmina figurata« – läßt sich bis zurück ins vierte Jahrhundert n. Chr. verfolgen. Optantius Porphyrios, ein Schüler Plotins, verfaßte und zeichnete um 325 für Konstantin den Großen solche Figurenbilder. Gerade auf ihn berief sich Rabanus besonders. Venantius Fortunatus, Bischof von Poitiers, wandte die Figurenbilder in dem schon genannten »De signaculo sanctae crucis« an, auch Ansbert von Rouen (nach 650) und später Alkuin und Theodulf sowie Josephus Scottus.[12] Auch in angelsächsischen Scriptorien sind solche »carmina figurata« entstanden. Rabanus steht also in der Abfassung seines »Lob des Kreuzes« in einer bestimmten

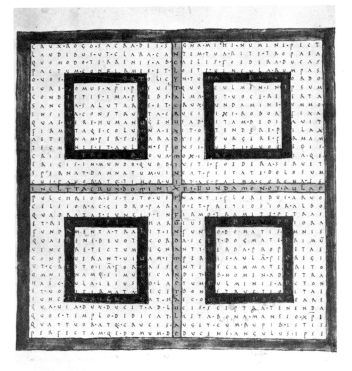

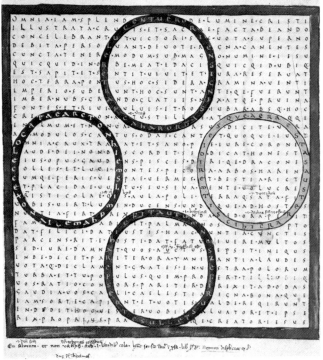

Vier Seiten aus »De laudibus sanctae crucis«, 1. Hälfte 9. Jahrhundert, Nationalbibliothek Wien

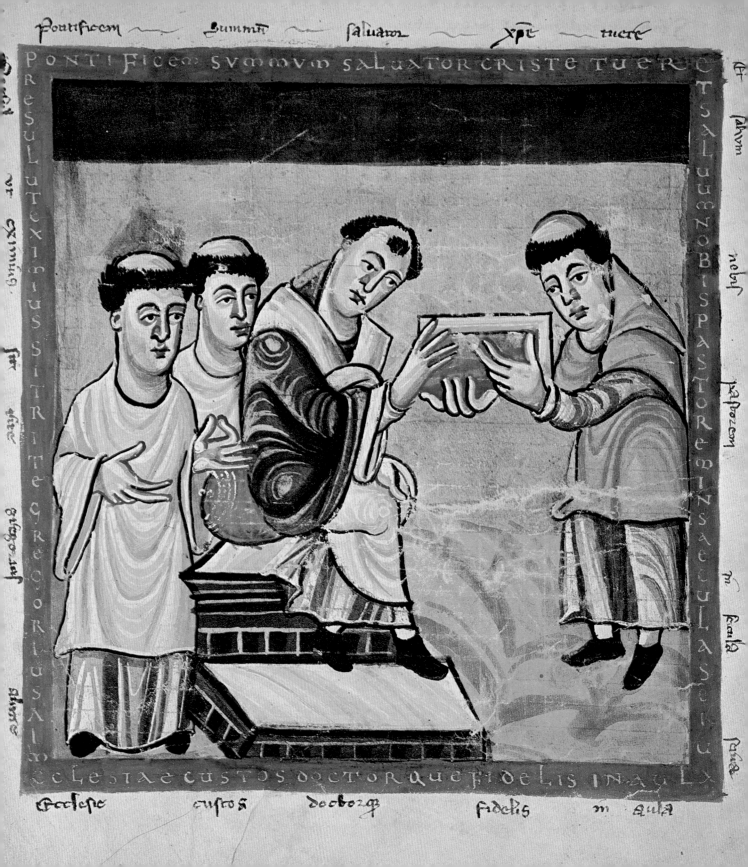

PONTIFICEM SUMMUM SALUATOR CRISTE TUERE

Pontificem summum saluator Xpc tuere

Presul ut eximius sit integre gregorius alma
Et saluum nobis pastorem in saecula salua
passorem in scala salua

Ecclesie custos doctorque fidelis in aula

Rabanus Maurus überreicht Papst Gregor IV. sein Buch »De laudibus sanctae crucis«. Dedikationsbild des Exemplares in der Bibliotheca Vaticana, Rom. 1. Hälfte 9. Jahrhundert

◀ Rabanus Maurus überreicht Papst Gregor IV. sein Buch »De laudibus sanctae crucis«. Dedikationsbild des Exemplares in der Nationalbibliothek Wien

```
O M N I P O T E N S · U I R T U S · M A I E S T A S · A L T A · S A B A O T H
E X C E L S U S · D O M I N U S · U I R T U T U M · S U M M E · C R E A T O R
F O R M A T O R · M U N D I · H O M I N U M · T U · U E R E · R E D E M P T O R
T U · M E A · L A U S · U I R T · T U · G L O R I A · C U N C T A · S A L U S Q U E
T U · R E X · T U · D O C T O R · T U · E S · R E C T O R · C A R E · M A G I S T E R
T U · P A S T O R · P A S C E N S · P R O T E C T O R · U E R U S · O U I L I S
P O R T I O · T U Q U E · M E A · S A N C T E · S A L U A T O R · E T · A U C T O R
D U X · U I A · L U X · U I T A · M E R C E S · B O N A · I A N U A · R E G N I · E S
U O X · S E N S U S · U E R B U M · U I R T U T U M · L A E T A · P R O P A G O
A D · T E · D I R E X I · E T · C U M U L A N S · N U N C · D I R I G O · U E R B A
M E N S · M E A · T E · L O Q U I T U R · E N T I S · I N T E N T I O · T O T A
Q U I C Q U I D · L I N G U A · M A N S · O R A T · E T · B U C C A · B E A T E
C O R · H U M I L E · E T · U I T A · I U S T A · S A C R A T A · U O L U N T A S
O M N I A · T E · L A U D A N T · T E C N T A N T · C R I S T E · S E R E N E
N A M Q · E G O · T E · D O M I N U M · P O N U S · E T · L A E T U S · A D O R O
A T Q E · C R U C I · D E M I S E · T U · E H I N C · D I C O · S A L U T A N S
S P E M   O R O T E R A M U S A R A   A S U M A R E T O R O   H I N C
H O C · M E U S · S T · A R D O R · C L A R U S · H O C · I G N I S · A M O R I S
H O C · M E A · M E N S · P O S C I T · P R I M U M · H O C · F A M E · E T · O R A
H O C · S I T I S · E S T · A N I M I · M A N D E N D I · M A G N A · C U P I D O
U T · M E T U · P I E S · S U S C I P I A S · B O N E · C R I S T E · P E R · A R A M
O B L A T U M · F A M U L U M · Q O D · U I C T I M A · S I M · T U · A L I · E S U S
H O S T I A · Q O D · T U A · S I M · M E · E T · C R U C I F I X I O · T O T U M
I A M · T U A · C O N S U M A T · E T · P A S S I O · M I T I S · E T · A E S T U M
C A R N A L E M · U I T I A · C O N F R I N G A T · D E · P R I M A · T · I R A M
R E F R E N E T · L I N G U A M · P I T A T I S · U E R B A · R E P O N A T
M E N T E M · P A C I F I C E T · U I T A M · D E D U C A T · H O N E S T A M
N A M Q U E · T U U S · Q U A N D O · T O T O · F U L G E S C E T · O L Y M P O
I G N E U S · A D U E N T U S · T O R R E B I T · E T · A R D O R · I N I Q O S
T E M P E S T A S · S T R I D E T · C O R N U · I A M · M U G I T · E T · O R B E
A N T E · A P P A R E B I T · Q U A N D O · C R U C I S · S A C R E · S I G N U M
T U M · R O G O · M E · E R I P I A T · F L A M M I S · U L T R I C I B · I P S A
A T Q E · P O E T A · M A G N I · P R O P R I U M · D E F E N D A T · A B I R A
C U I · C A N O · I U R E · C A N A M · H A N U S · U E R S I B U S · O R E
C O R D E · M A N U S · S E M P E R · D O           M O R A B I L E · C A N T U
Q U O D · D E D E R A T · U I T A E · M E           M E N T E R I · N A R A
Q A N D O · I P S A · I E S U S · C L           O · A B E R U I T · I M O
I N F E R N I · R E Q I E M · N U N C           A R C E · P O L O R U M
D A · M I H I · H O C · P O S C O · S P E R O           O M N I A · C R E D O
Q U A E · P R O M I S I S T I · H O C · T E N E           T A T E · F I D E Q E
Q U O D · U E R A X · F A C I S · O R D I N E           O M N I A · U E R O
I · N U N C · A D · S U P E R O S · I N · C A E L I S · R I T E · T R I U M P H A S
O · L A U S · A L M A · C R U C I S · S E M P E R · S I N E · F I N E · U A L E T O
```

Devotionsbild aus »De laudibus sanctae crucis«, 1. Hälfte 9. Jh., Nationalbibliothek Wien

Tradition der Spätantike. Dies zeigt deutlich auch sein Figurenbild mit der Darstellung Ludwig des Frommen als Miles Christianus. Er trägt ein antikes Gewand, hält Kreuz und Schild und ist mit der Krone geschmückt, die im Kapitel über den Schmuck in »De universo« bezeichnet wird als »höchste Zierde, Zeichen des Sieges und der königlichen Ehre . . . Sie wird auf das Haupt der Könige gesetzt, um auf die Völker hinzuweisen, die ihn auf dem Erdkreis umgeben«.

Bemerkenswert für das Werk »Lob des Kreuzes« bleibt die Mischung spätantiker Überlieferung mit Mystisch-Symbolhaftem und Mathematisch-Formelhaftem. Neben den figürlichen Darstellungen – Dedikation und Devotion, Christus und Kaiser Lothar – erscheinen Schemata: geometrische Figuren wie Dreieck, Rechteck, Achteck, Kreis. Das genau Abgemessene der Zeilen, die »ars metrica«, in der die Dichtung abgefaßt ist, lassen die Wertschätzung der Zahl durch Rabanus erkennen, – seine Orientierung an der Auffassung, daß der Wert der Zahl gerade darin besteht, Symbol und Trägerin mystisch-religiöser Wahrheiten zu sein. Dies hat nichts mit »mesostichen Spielereien« zu tun, wie man zuweilen behauptete, vielmehr mit bewußter Formulierung von Symbolen.

Gerade dies setzt die Handschrift »Liber de laudibus sanctae crucis« ab von anderen, prachtvoll ausgestatteten Handschriften aus karolingischer Zeit. Anstelle kostbarer Buchmalereien, die für sich selbst geschlossene Bilder sind – Miniaturmalereien im wahren Sinne des Wortes – finden wir bei Rabanus, mit Ausnahme der Widmungsbilder, graphisch gefaßte kolorierte Figuren, die im unmittelbaren Kontext zur Schrift stehen. Ein intellektueller Zug durchweht das Ganze, ein Anflug von Abstraktion. Hier kommt sicherlich – vermittelt durch Alkuin – noch etwas vom Geist zum Ausdruck, den die »Libri Carolini« enthalten.

ZUM THEMA DEDIKATIONS- UND DEVOTIONSBILD

Von besonderem kunsthistorischem Interesse sind die Widmungsbilder und das Devotionsbild am Ende der Handschrift. Prochno hat 1929 über die beiden Dedikationsbilder geschrieben, Peter Bloch widmete ihnen 1962 eine ausführliche Studie und bezieht sie in seinen Beitrag

»Stifterbilder« zum Katalog der großen Ausstellung »Bilder vom Menschen in der Kunst des Abendlandes« mit ein (Berlin 1980).[13] Bloch weist darauf hin, daß es schon in der Antike Darstellungen der Darbringung eines architektonischen Modells gibt. Die eigentlichen Anfänge des Dedikationsbildes liegen jedoch im 6. Jahrhundert n. Chr. und zwar innerhalb der monumentalen Bildkunst und in der Buchmalerei (wichtiges Beispiel: Darstellung im Rabulas-Codex, entstanden 586 in der Laurentiana in Florenz). Von großer Bedeutung sind die beiden Medaillons in der prachtvollen Altarverkleidung in St. Ambrogio in Mailand: in dem einen ist der Stifter Erzbischof Angilbert, im zweiten der Goldschmied Volvinus zusammen mit dem heiligen Ambrosius dargestellt. Das Medaillon mit dem Goldschmied trägt die Beschriftung: »Volvinus fecit«. Gerade diese »personifizierte Autorenangabe im Rahmen eines kunstgewerblichen Zusammenhanges« (Kurt Bauch) macht dieses Dedikationsbild aus der Zeit 835/40 so bedeutsam. Der Künstler tritt – lange nach den Signaturangaben griechischer und römischer Bildhauer und Maler – aus der Anonymität heraus. Im 11. und 12. Jahrhundert häufen sich die Beispiele der Namenseinfügungen. So nennen die Buchmaler Everwinus und Alanus ihren Namen neben dem Auftraggeber und Schreiber. Auf einem von Abt Berthold von St. Alban gestifteten Weihwassereimer von 1116/19 (in Speyer) nennen

Detail aus dem Devotionsbild aus »De laudibus sanctae crucis«, 1. Hälfte 9. Jahrhundert. Rom, Vatikanische Bibliothek

sich Gießer und Modelleur: »Haertwich erat factor et Snello mei fuit auctor«.

Viel früher und zwar zur Zeit des Volvinus ist des Rabanus Dedikation im »Lob des Kreuzes« entstanden, die dem heiligen Martin und Papst Greogor IV. gilt. An der Seite von Rabanus erscheint Alkuin. Bloch hat den interessanten Bezug zu zwei Blättern in einem Homiliar Gregors des Großen in Vercelli (entstanden am Ende des 8. Jahrhunderts) hergestellt und auch das um zwei Assistenzfiguren erweiterte zweite Dedikationsbild des Rabanus mit einer entsprechenden Darstellung in einem italienischen Codex des 8. Jahrhunderts verglichen (in der Bibliotheca Vallicelliana).[14] Bloch schließt mit Recht daraus, daß Rabanus kein Vorbild, das Tours vorbehalten wäre, nachbilden mußte, um zu seinen beiden Dedikationsbildern zu gelangen. Die ersten Fassungen solcher »Repräsentationsgruppen« finden sich in Italien. Bei Rabanus sind sie lebendiger, bewegter geworden. Nun gleichen sich jedoch stilistisch die Dedikationsbilder in der Wiener Abschrift auffallenderweise den Darstellungen von Gestalten in der »Bibel von Grandval« aus Tours (entstanden um 840) an. Auch hier finden wir die auffallend großen Köpfe, die »gestauchten« Körper, die langen Hände, die eigentümliche Schreitstellung wie im Wiener Dedikationsbild mit Rabanus, Alkuin und Martin (von späterer Hand als Bischof Otgar von Mainz bezeichnet). Dies könnte ein Indiz dafür sein, daß die Wiener Abschrift um 840 die beiden Dedikationsbilder erhalten hat. In jedem Falle ist festzuhalten, daß diese Dedikationsbilder, deren Originalfassungen älter sind als die Wiener Nachbildungen, zur frühen Gruppe solcher Darstellungen gehören.

Gleiches gilt für das allerdings bisher weniger beachtete Devotionsbild auf der letzten Bildseite des Werkes von Rabanus. Der »Opifex« (»Hersteller des Werkes«), wie Rabanus sich im Text bezeichnet, kniet mit erhobenen Händen unter dem Kreuz, zu dessen Lob er die Schrift verfaßt hat. Hier liegt ein Topos vor, wie wir ihn beispielsweise auch im Psalter Ludwigs des Frommen finden. (St. Omer, erstes Viertel des 9. Jahrhunderts, wahrscheinlich nach 814, Staatsbibliothek Berlin). Es handelt sich um die Illustration der »oratio ante crucem dicenda«. Wir weisen ausdrücklich darauf hin, daß man beim Devotionsbild im »Lob des Kreuzes« die Beschriftung und den dazugehörenden Prosatext mit heranziehen muß, um

zu erkennen, wie nachdrücklich Rabanus seine Autorenschaft bekundet. So heißt es nicht nur: »ubi opifex ipse pro se deprecatur« (»wo der Verfasser für sich selbst inständig um Gnade bittet«), sondern zusätzlich: »imago vero mea quam subder crucem genua flectens et orantem depinxeram« (»es ist in der Tat mein Bild, auf dem ich mich unter dem Kreuz die Kniee beugend und betend gemalt habe«).

Wertet man diese Aussage aus und faßt man dabei das Wort »depinxeram« genau ins Auge, kommt man zu einer bemerkenswerten Feststellung: Rabanus nennt sich nicht nur »opifex«, Verfasser der Schrift. Im Falle des Devotionsbildes bezeichnet er sich auch als Maler. Läßt dies nicht den Schluß zu, daß er auch die anderen Figurenbilder innerhalb der Textseiten in der *Originalhandschrift* selbst gemalt hat? Die Dedikationsbilder mögen hingegen von einem Buchmaler nach Anweisung von Rabanus geschaffen worden sein (vielleicht von Hatto?). Die verschiedenen Abschriften wurden dann von Scriptores, nicht von Rabanus selbst gefertigt. Festzuhalten bleibt, daß Rabanus seinen Freund Hatto als Mitarbeiter bezeichnet hat. Diese Angabe kann sich auf die Arbeit am Original, aber auch auf Überwachungen der frühen Abschriften bis zum Tode Hattos beziehen.

Das Devotionsbild im »Lob des Kreuzes« bleibt eines der frühesten Beispiele bildhafter Signatur im Mittelalter. Besondere Bedeutung gewinnt es durch die Verbindung mit verhältnismäßig ausführlichem Text wie »imago vero mea . . .« und »Magnentius Hrabanus Maurus hoc opus fecit«. Wie bei dem Goldschmied Volvinus wird die Anonymität des Fertigers des Werkes aufgehoben. Da wir davon ausgehen können, daß die Originalfassung des »Lob des Kreuzes« von Rabanus jedoch mehr als zwei Jahrzehnte vor der Altarverkleidung, die Volvinus um 835 in Mailand schuf, entstand (es war um 810 fertig), verdient das Devotionsbild im »Lob des Kreuzes« als Zeugnis einer nachdrücklichen Betonung der Autorschaft besondere Aufmerksamkeit.

LOB DER HUMANISTEN

Gerade das Werk des Rabanus »Liber de laudibus sanctae crucis« hat nach seiner ersten Drucklegung im Jahre 1501/03 durch den Pforzheimer Drucker Thomas Anselm großes Lob der Humanisten erfahren. Die alten Dedikationsbilder wurden durch gotische Holzschnitte ersetzt, die Figurenbilder selbst jedoch mit graphischer Wiedergabe beibehalten, wenn auch die Nachbildungen der Blätter mit den Gestalten einfacher ausgefallen sind. Vorangestellt sind lateinisch abgefaßte Texte, die wir für wert halten, in einer soeben erfolgten annäherungsweisen Übersetzung zu veröffentlichen. Dankenswerterweise hat auf unseren Wunsch Ministerialdirigent Dr. Berthold Emrich vom Kultusministerium Rheinland-Pfalz diese Übersetzungen vorgenommen:

JAKOB WIMPFELING AUS SCHLETTSTADT

»Der Deutsche Rabanus hat ein wunderbares und höchst kunstvolles Werk zum Lob des heiligen Kreuzes gedichtet, das viel Mühe und Arbeit kostete; darin zeigt er, daß viele Mysterien des christlichen Glaubens, viele mystische Zahlen von Engeln, Tugenden, Gaben, Seligkeiten, Elementen, Zeiten, Plagen, Monaten, Winden, Büchern Moses, daß des Namens Adam und anderer berühmter Dinge Kraft und Ansehen zum heiligen Kreuz passen und mit ihm in Übereinstimmung gebracht werden können. Er fügte Vers zu Vers, daß auch die Figuren ihre eigenen Verszeichen haben, mit denen sich die verschiedenen Bilder darstellen. Und doch wird die erlaubte und grundsätzliche Ordnung der Gedichte von ihrem Gang oder Ziel nicht abgelenkt oder unterbrochen: so passen sogar die einzelnen Buchstaben zu der meist doppelten Ordnung. Nach jedem Gedicht folgt noch ein Prosatext, der die bewunderungswürdige Tiefe der Verse lichtvoll erläutert.
O was für ein vortreffliches und jeder Verehrung würdiges Werk, durch das nicht unverdient Germanien, das einen solchen Mann hervorgebracht hat, bekannt und berühmt wird . . .«

JOHANNES REUCHLIN AUS PFORZHEIM

»Dich, o Thomas, Dich und Pforzheim schätze ich glücklich, weil durch euch des Rabanus Werk vom Kreuz erstrahlt. Die Saat des Schreibens – über den Erdkreis zerstreut – kehrt wieder, eine Kunst, die unsere Väter

Ioannis Reuchlin Phorcensis. LL. Doc.
Ad Thomam Anshelmi Impressorem
In Laudem Rabani de Sancta Cruce.
.EPAENOS.

Te tem& o Thoma reputo Phorcenq; beatam
    Q; per vos Rabani de Cruce fulget opus.
Semina scribendi redeunt disperfa per orbem.
    Ars quam venturis occuluere patres.
Accedat propius mens nescia turpe videre:
    Hic latet in pulchro pulchrior æthra polo.
Non crux Andromedę Cepheidis : aut Gañiana
    Verris : in hoc dabitur conspicienda libro.
Sed cui fixus erat hominūcq; deumcq; creator.
    Mundus & innocuus crimina nostra luens.
Crux hęc plus Rabani : quam Constantinia splendet
    Quondam sydereis visio picta notis.
Aerea serpentis potuit sanare figura
    Fixa Cruci : nostra tu mage tutus eris.
Formosas spargit series maculosa lituras
    Partibus in variis : ut notet ordo crucem.
Quo Rabanus Coum facile devicit Apellen
    Nil tibi Parrhasius : nil tibi Zeusis erit.
Siue leges librum : Polydedala cuncta videbis.
    Siue audire libet : cantilat harmonia.
Quare agite ambo duo. titulos crescatis in altos
    Hoc solo Rabani splendidiore libro
Anshelmi Thoma. qui chartas imprimis arte
    Tucq; simul phorce : fons et origo mei.
Vrbs : honor artificum. fabricatrix ingeniorę.
    O decus. O Rabani viue secunda parens.

Aa ii

den Nachkommen verborgen haben. Es trete näher der Mann, der nicht gelernt hat, Schlechtes zu sehen: Hier liegt in einem schönen Himmel ein schönerer Himmel verborgen. Nicht das Kreuz der Kepheustochter Andromeda oder das Ganiana-Kreuz[15] wird in diesem Buch zum Betrachten dargestellt werden, sondern das Kreuz, daran man geschlagen den Schöpfer der Menschen und Götter: Rein und unschuldig büßte er unsere Sünden. Dieses Kreuz Rabans glänzt mehr als das Konstantins, einst als Vision mit siderischen Zeichen gemalt. Die eherne Gestalt einer Schlange konnte, ans Kreuz genagelt, heilen: Du wirst unter unserem Kreuz sicherer sein. Kunstvolle Stellen zerstreut eine bunte Reihe in verschiedenen Richtungen, so daß die Anordnung auf das Kreuz anspielt. Damit besiegt Rabanus leicht den Apelles aus Kos, nichts wird dir Parrhasius, nichts dir Zeuxis gelten. Ob du das Buch nun liest: du wirst alles höchst kunstvoll sehen. Ob du es hören willst: es erklingt Harmonie. Deshalb ans Werk, ihr zwei: ihr sollt zu hohen Ehren gelangen, allein durch das noch glänzendere Buch des Rabanus, Thomas Anshelmi, der du die Blätter kunstvoll druckst, und du mit ihm, Quelle und Ursprung meiner Person, Du Stadt: Ehre der Künstler, Hervorbringerin von Talenten, O Zierde, lebe hoch als zweite Mutter Rabans«.

SEBASTIAN BRANT

»Wenn du mir neulich das Werk über das heilige Kreuz geschickt hast, Nikolaus, so konnte ich nicht umhin, mich vielfältig über die originale Leistung zu wundern oder es über die Maßen für lobenswert zu halten. Und das war richtig: Denn welcher Diener Christi oder des Kreuzes sollte sich nicht auch selbst um das Lob des Kreuzes bemühen. Aber trotzdem, wer wird glauben, er könne Lieder singen, wie sie das wunderbare, heilbringende Kreuz verdient? Es fehlt bei allen der rechte Sinn, die Sprache, des Geistes Kraft, die mit sterblichem Mund das Kreuz zu besingen versuchen. Doch der gelehrte Vater Rabanus, der vorzügliche Autor, hat es gewagt, ohne daß des Gedichtes Gelingen feststand. Er bedichtete das Mysterium des Kreuzes, sein Lob, seinen Preis, und er lehrte, daß in allen Dingen das Kreuz wohnt. Vom Himmel lieh er es her und vom höchsten Vater und führte es durch alle Geschöpfe und Elemente. O was für eine gewaltige Arbeit hat der selige Vater in Angriff genommen. Immer wachsam hat er, ohne Zweifel, schlaflose Nächte verbracht, um das Lob des Kreuzes vollenden zu können . . .«.

KAROLINGISCHE RENOVATIO

Aus vielen Schriften, die Rabanus in der ersten Hälfte des 9. Jahrhunderts abgefaßt hat, können wir ableiten, daß Rabanus Maurus dem Geistesgut der Spätantike verpflichtet war. Aber nicht nur die Wiederaufnahme bereits formulierter Gedanken, die Anpassung an Überliefertes sollte unser Urteil über Rabanus bestimmen. Wir müssen danach fragen, was er für sich ausgewählt hat, wie er es verarbeitete. Die Antworten darauf ergeben ein Bild, das sich einfügt in das, was wir die Karolingische Renovatio nennen. Renovatio heißt nicht nur Wiederherstellung und Wiederholung sondern auch Erneuerung. Gerade dies manifestiert sich in den politischen Zielen Karls des Großen, – in seiner Reichsgründung, in seiner Herrschaft über sein Reich. Die kaiserliche Bulle trug die Beschriftung »Renovatio Romanorum Imperii«. Das Wort Renovatio erscheint in mehreren mittelalterlichen Quellen.

Auch die bildende Kunst, die Dichtung, die Geschichtsschreibung und Wissenschaftslehre aktivierten sich im Sinne dieser Renovatio. Wolfgang Braunfels schreibt: »Die Kompaßnadel war nach Rom ausgerichtet; Rom war Lehrmeisterin, zugleich Byzanz das Vorbild, mit dem der Hof Karls des Großen in Wettbewerb treten wollte«. Kultur der Karolinger Zeit ging aus einem Schmelztiegel germanischer, angelsächsischer und römischer Kultur hervor. Sie stellte Beziehungen zur Spätantike her. Als signifikante Beispiele sollen hier nur genannt werden: der Kaiserpalast in Aachen mit der Palastkapelle sowie die Ratgar-Basilika in Fulda mit dem neu hinzugefügten Kloster, das nach Candidus, dem Verfasser einer Vita des Fuldaer Abtes Eigil, »more romano« angelegt war. Karl der Große ließ das Reiterdenkmal des Ostgotenkönigs Theoderich von Ravenna nach Aachen transportieren und gab damit seine große Verehrung desjenigen zu erkennen, der seinerseits schon rund 300 Jahre zuvor in Rom für die Bewahrung antiker Denkmäler eingetreten war und den Römer Cassiodor zum Minister, Boethius, der Studien in Athen betrieb, zu einem seiner Staatsbeamten ernannt hatte. Ein Reflex antiker Reiterdarstellungen ist die Bronzestatuette im Louvre zu Paris, die Karl den Großen zu Pferd darstellt und lange Zeit auf dem Lettner der Metzer Kathedrale stand.[16] Das Römisch-Germanische Zentralmuseum in Mainz hat diese Statuette

Dagobert-Thron, Unterteil 7., Oberteil, 2. Hälfte 9. Jahrhundert. Nachbildung durch Römisch-Germanisches Zentralmuseum, Mainz

Reiterstatuette Karls des Großen, Nachbildung nach Bronze. (Replik, um 870?) Römisch-Germanisches-Zentralmuseum, Mainz

– möglicherweise eine Replik aus spätkarolingischer Zeit (um 870?) – kopiert, ebenso den berühmten Dagobert-Thron, der sich zusammensetzt aus einem Unterteil aus dem 7. Jahrhundert und den Seitenteilen sowie der Rückenlehne aus der zweiten Hälfte des 9. Jahrhunderts. Das Original (in Paris) diente Karl dem Großen, Ludwig dem Frommen und Lothar I. als Thron.[17]

In Rheinland-Pfalz haben sich von den stark dezimierten karolingischen Kunstwerken einige eindrucksvolle Stücke erhalten: die schon genannten Wandmalereien in St. Maximin und ein prachtvolles Evangeliar der Ada in Trier sowie Reste karolingischer Bauplastik aus Ingel-

heim. Das Mittelrheinische Landesmuseum in Mainz kann wiederverwendete römische Kapitelle aus Ingelheim zeigen, auch herbe Kämpfer und das qualitätsvolle Relief mit zwei Flügelpferden und einem löwenartigen Tier. Es ist sehr wahrscheinlich die Arbeit eines Bildhauers aus der Lombardei.

Mainz besaß in karolingischer Zeit ein nicht unbedeutendes Scriptorium. Drei seiner Evangeliare befinden sich heute in München, Paris und Cambridge. Der kostbare Echternacher Psalter aus dem 8. Jahrhundert (heute in Stuttgart) verdient besondere Erwähnung. In der weiteren Umgebung von Mainz, in Lorsch, steht die Torhalle

Fragment einer Kreuzigungsdarstellung aus St. Maximin in Trier, 9. Jahrhundert

des karolingischen Klosters, »das als Transponierung der römischen Triumphalidee zu verstehen ist, aber eben doch als etwas völlig Selbstständiges« (H. Fillitz). Berühmt ist auch das Lorscher Evangeliar.

Die Antikenrezeption im 8. und 9. Jahrhundert wird oft als »Karolingische Renaissance« bezeichnet. Die Rinascità (Wiedergeburt), die zu Beginn des 15. Jahrhunderts in Italien einsetzte und Künstler in den Niederlanden, in Frankreich und Deutschland in ihren Bann zog, ist in ihrem Wesen erheblich verschieden von der Renovatio, deren Zentrum der Hof Karls des Großen war, um von hier zu einer imperialen Kunst mit Ausstrahlung auf bedeutende Klöster zu werden. Heinz Ladendorf hat schon darauf hingewiesen, wie schmal die Basis dieser karolingischen Hofkunst dennoch war: »Ein kleiner Kreis hatte Teil an der Formgestaltung«. Die Renaissance hingegen wurde rasch zu einer großen geistigen und künstlerischen Bewegung, die mit einer totalen Aneignung zugleich eine Umsetzung der griechischen und römischen Antike anstrebte. Ästhetische Kategorien, Freude am Sinnlichen, Hinwendung zum Profanen, Entdeckung der Individualität, Integration von Ergebnissen wissenschaftlicher Forschung: all dies gehört zu den Wesensmerkmalen der Kunst der Renaissance. Zentrales Anliegen der Renovatio blieb der ungebrochene Bezug zum frühen Christentum in der Spätantike.

Es ist längst an der Zeit, diese Unterschiede endgültig abzuklären. Zu Recht hat schon 1923 Oswald Spengler geschrieben, es sei »ungeschickt genug, das Aufleuchten karolingischer Zeit als Renaissance zu bezeichnen«. 1948 hat Walter Paatz einen Vortrag über »Renaissance oder Renovatio« gehalten und sich in seinen Heidelberger Vorlesungen für eine klare Unterscheidung ausgesprochen. Leo Bruhns mahnte 1954, die Trennung der Begriffe nicht außer acht zu lassen. 1962 maß Dieter Groszmann der Renovatio eine Bedeutung zu, »die mit dem oberflächlichen Begriff der karolingischen Renaissance nur höchst unvollkommen gefaßt würde«. Auch Hermann Fillitz hat sich für die Bezeichnung »Karolingische Renovatio« entschieden.[18]

Dieser Zeit der Renovatio gehörte Rabanus Maurus an. Keineswegs soll außer acht bleiben, daß mit der Bewahrung von Überliefertem ein neues Ideal geprägt wurde. Die unter Erzbischof Richulf begonnene, zur dreischiffigen Anlage erweiterte Kirche von St. Alban entsprach ganz und gar den Vorstellungen des 847 zum Erzbischof

von Mainz erhobenen Rabanus. Er sorgte für ihre weitere Ausstattung im Sinne der »venustas«, ließ neue Kirchen bauen, alte erweitern. Er förderte das bedeutende Scriptorium in St. Alban und die Bibliothek, der er später einen Teil seiner eigenen Bibliothek vermachte. Auch während seiner Mainzer Zeit verfaßte er zahlreiche Altarinschriften, eine davon für den Hochaltar, den sein Vorgänger Otgar zu Ehren des heiligen Martin in Auftrag gegeben hatte. Rabanus blieb es vorbehalten, den begonnenen Hochaltar vollenden zu lassen. Er ließ sich dies ebenso angelegen sein wie Jahre zuvor die Errichtung des Ziboriums über der Grablege des Bonifatius in Fulda.

Außerhalb von Mainz, im schön gelegenen Winkel am Rhein, ließ sich Rabanus ein Hofgut (villa) erbauen. Hier schrieb er die von Lothar II. erbetenen Homilien (Textauslegungen von Bibelstellen), nachdem er ein »Martyrologium« verfaßt hatte, in dem er sich auf Hieronymus und Breda bezog. Eine seiner letzten Abhandlungen heißt »De anima et disciplina romanae militiae«. Hier erteilt er seinem Kaiser u. a. Ratschläge für die Kriegführung und verwendet dabei die »Epitoma institutionum rei militaris« des Renatus Flavius Vegetius aus der Zeit um 450 n. Chr., – wiederum ein Beispiel für eine an der Spätantike geschulte Gelehrsamkeit.

DIE GESTALT DES RABANUS IN DER BILDENDEN KUNST

Die Dedikationsbilder und das Devotionsbild im »Lob des Kreuzes« sind gemäß der Menschendarstellung jener Zeit keine Porträts. Alle Darstellungen des Rabanus müssen demzufolge auch späterhin ohne jede Übereinstimmung mit dem wirklichen Aussehen des Mannes bleiben, der sein Devotionsbild als »imago mea« bezeichnet hatte. Eines der Erinnerungsbilder des späten Mittelalters ist ein Holzschnitt von 1493 in der Schedelschen Weltchronik. Aber dieses Erinnerungsbild ist ein »Klischee«, das austauschbar für andere Geistliche bleibt: das Brustbild eines Bischofs (oder Erzbischofs) mit Stab und Heiligenschein. Immerhin ist es interessant nachzulesen, wie die Schedelsche Weltchronik Rabanus charakterisiert: »Rabanus, ein Klostermann und deutscher Abt zu Fulda und danach Erzbischof zu Mainz, der Heiligen Schrift und der Poeterei ein hochgelehrt Mann hat dieser Zeit aus Größe seiner Sinnreichigkeit viel trefflicher Schrift und Bücher

PONTIFICEM SVMMVM SALVATOR CHRISTE TVERE

RESVL͵ VT EXIMIVS SIT RITE GREGORIVS ALM

TSALVVM NOBIS PASTOREM IN SECVLA SERVA

ECCLESIE CVSTOS DOCTORQ͵ VE FIDELIS IN AVLA

Gotische Wiederholung eines Dedikationsbildes aus »Lob des Kreuzes«, Pforzheim, 1501/03

gemacht.« Auch Strabo, der Schüler des Rabanus, wird in Bild und Wort vorgestellt: »Strabo auch ein Klostermann, des benannten Rabani Jünger, ist dieser Zeit nicht minder dann derselb sein Meister gewest, und hat auch viel schöner Schrift gemacht und begriffen«.

1501 und 1503 erschienen zwei gotische Holzstiche in der ersten gedruckten Ausgabe des »Lob des Kreuzes«, die Thomas der Drucker in Pforzheim »sub illustri principe

einer Kartusche aus. Ohne Namensbezeichnung bleiben die beiden Männergestalten, die neben der Kartusche stehen. Beide halten Buch und Feder. Der eine (rechts vom Betrachter) trägt ein Mönchsgewand und darf dementsprechend als Rabanus Maurus gelten. Der andere trägt ein antikes Gewand und bezeichnet einen der Kirchenväter als Vertreter der christlichen Kirche in spätantiker Zeit.

Rabanus erhbischoff suchten sie auß grawen den sie ab demselben flaisch haben nit weyter. also kom der leichnam in ein schiff vnd füroan gein Venedig.

Rabanus ein closterman vnd teütscher abbt zu Fuldē vnnd darnach erhbischoff zu Maynh. der heilligen schrifft vnnd der poetrey ein hochgelert man hat diser zeyt auß größe seiner synnreichigkeit vil treffenlicher schrifft vn bücher gemacht.

Strabo auch ein closterman des benanten rabani iū ger ist diser zeyt nit mynder dann derselb sein maister gewest. vnnd hat auch vil schöner schrifft gemacht vnnd begriffen.

Strabus

Darstellung des Erzbischofs Rabanus Maurus in der Schedelschen Weltchronik, gedruckt 1493 in Nürnberg

Christofero Baden« herstellte. Diese beiden Darstellungen der Überreichung des »Lob des Kreuzes« sind völlig freie Umsetzungen der alten Dedikationsbilder. Bemerkenswert, daß diese Pforzheimer Holzschnitte – mit einigen Detailumwandlungen – in der Kölner Gesamtausgabe von 1626 beibehalten wurden. Gotische Bildelemente werden barockisiert. Völlig neu hingegen ist das in Kupfer gestochene Titelblatt mit barocken Architekturformen. Im oberen Bildteil sind die heiligen drei Könige dargestellt, die Maria und Jesus ihre Geschenke bringen. Wird hier Bezug auf die besondere Verehrung der heiligen drei Könige in Köln genommen (vergoldeter Schrein im Dom), so wird im unteren Teil des Kupferstiches die Ansicht der Stadt Köln gezeigt. Im Vordergrund erscheint das Schiff mit der Heiligen Ursula. Zwischen den beiden Bildszenen breitet sich der Buchtitel innerhalb

Die Frage bleibt offen, wann die ersten Plastiken und Gemälde mit der Darstellung des Rabanus entstanden sind. In der Kirche zu Winkel wird seit langem eine farbig gefaßte Holzplastik aus spätgotischer Zeit verehrt, die Rabanus darstellen soll. Die Sitzfigur mit Mitra und Bischofsstab und Buch in der Linken ist unbezeichnet. Daß man in Winkel an der Verehrung des Rabanus festhielt, läßt ein medaillonartig gefaßtes Gemälde in einem der Nebenaltäre mit zwei weiteren Bildern (St. Nikolaus und St. Wendelinus), erkennen. Rabanus, der Erzbischof, steht links im Vordergrund des Bildes. Rechts von ihm sieht man im Hintergrund an Tischen sitzende Gestalten. Bei genauer Betrachtung des Gemäldes liest man: »S. Rabanus Maurus – Armarium scientiae – 1715«. »Lehrer Deutschlands« und »Rüstkammer der Weisheit«: Der zuletzt genannte Ehrenname erscheint auf dem verhält-

HRABANI
MAVRI
ABBATIS primùm
FVLDENSIS, posteà AR-
CHIEPISCOPI MO-
guntini,

OPERA
Quotquot reperiri potue-
runt omnia;
à
*R.D. Iacobo Pamelio olim collecta, & nunc
primum in lucem edita.*

Sum Carthusiæ Moguntinæ.
1686.
COLONIÆ AGRIPPINÆ,
Sumptibus Antonÿ Hierati.
ANNO
M.DC.XXVI.

O FOELIX COLONIA

AGRIPPINA

Braun figur.

Titelblatt der Ausgabe von 1626 der Werke des Rabanus Maurus

Darstellung des
Rabanus Maurus
auf einem Altar
der Pfarrkirche
in Winkel, 1716
Foto: Klaus Benz

Farbig gefaßte
Holzplastik,
überliefert als Dar-
stellung des
Rabanus Maurus.
Kirche in Winkel,
15. Jahrhundert
Foto: Klaus Benz

Statue des Rabanus Maurus von Balthasar Andreas Weber, um 1710.
Aus der Krypta des Domes zu Fulda. Foto: KNA-Siebers

nismäßig kleinformatigen Bild aus der Barockzeit. Gerade diese war es, die die Gestalt des Rabanus zum Gegenstand künstlerischer Arbeit werden ließ.

Am bekanntesten ist die große Steinskulptur in der Krypta des Domes zu Fulda, – ein Werk des Bildhauers Andreas Balthasar Weber, der um 1710 in Fulda wirkte. Karl Lohmeyer erwähnte ihn im Zusammenhang mit Schnitzereien an der Orgel, der Kanzel und Arbeiten an mehreren Altären. Die Steinskulptur des stehenden Rabanus, in der Linken ein offenes Buch haltend, ist um 1710 entstanden.

Weniger bekannt ist eine zweite Skulptur des Rabanus in Fulda: sie steht in einer Nische der Fassade der Frauenberg-Kirche. Sie ist ein Werk des Wenzel Neu (um 1708–1774), der als vorzüglicher Porzellanmodelleur in Fulda gearbeitet hat, vorübergehend auch in Veilsdorf. Seine Rabanus-Skulptur ist um 1765 entstanden. Kreuz, Bischofsstab, Schreibfeder und Buch gehören zu den »Insignien« des Heiligen.[19] Eine weitere barocke Skulptur aus Holz findet sich in der Kirche zu Rasdorf. Rabanus Maurus trägt als Atlant den Kanzelkorb. Mit der Linken trägt er das Modell jener Klosterkirche, die er in Rasdorf erbauen ließ. Der Bischofsstab in der Rechten ist verloren. Die Darstellung in der ehemaligen Stiftskirche erinnert daran, daß Rabanus im Kloster Rasdorf mit Ludwig dem Deutschen zusammengetroffen war, der ihn zum Erzbischof von Mainz erhob.

Hinzuweisen ist noch darauf, daß möglicherweise der außerordentlich qualitätvolle Hochaltar aus der ehemaligen Kartause zu Mainz (er wurde 1792 von Abt Bonifatius II. für die Abteikirche in Seligenstadt gekauft) in seinem prachtvollen Figurenensemble eine Sitzstatue des Rabanus (mit Buch und Stab) enthält. Die traditionelle Benennung als Rabanus wurde im diesbezüglichen Band der Kunstdenkmäler aufgenommen. Fritz Arens meldete Bedenken an: »Rabanus ist nicht kanonisiert und nur ausnahmsweise dargestellt worden«.[20] Nun wissen wir aber, daß Kardinal Albrecht von Brandenburg, Erzbischof von Magdeburg und Mainz, es war, der in seinem Heiltum in Halle die Gebeine des Rabanus in einem Reliquiensarkophag aufbewahren ließ. Abt Wilhelm vom Kloster St. Paulus hatte in Rom bereits 1372 in einem Heiligen Kalendarium den 4. Februar als Fest des Rabanus angegeben. Und wenn schließlich 1710 die große Marmorskulptur in der Krypta des Domes zu Fulda, also in umittelbarer Nähe

Rabanus-Statue von Wenzel Neu an der Fassade der Frauenberg-Kirche in Fulda, um 1765. Foto: Rolf Kreuder

Rabanus als Atlant an der Kanzel der Kirche in Rasdorf, 18. Jahrhundert. Foto: Rolf Kreuder

des Bonifatius-Grabes, aufgestellt wurde und 1716 in einem Altarbild zu Winkel S. Rabanus (der *heilige* Rabanus) zusammen mit den beiden Heiligen Nikolaus und Wendelinus erscheint, lassen sich die Bedenken von Arens, man könne den Namen der Sitzfigur im Hochaltar der Kartause »*vorerst* nicht nennen«, sicherlich aufheben. Hinzu kommt, daß Arens der Zuschreibung des Entwurfs für den Hochaltar an Maximilian Welsch durch A. Rivoir zustimmt.[21] Der Hochaltar war im April 1715 geweiht worden, also fünf Jahre nach der Fertigstellung der Rabanus-Skulptur von Andreas Balthasar Weber in Fulda. Welsch (1671–1745), der im Dienst des Kurfürsten Lothar Franz von Schönborn stand, hat möglicherweise die Steinskulptur gekannt. Welsch hat ja später in Fulda

gearbeitet. Zumindest war in Mainz selbst der »Praeceptor Germaniae« und »Armarium scientiae« nicht in Vergessenheit geraten.

Er fügt sich ikonographisch ohne weiteres in die Reihe der Figuren des Hochaltars der Kartause ein. Auf der Seite gegenüber befindet sich die Sitzfigur des heiligen Bonifatius. Unter den beiden – dem »Apostel Deutschlands« und dem »Lehrer Deutschlands« stehen zwischen den Säulen die Kirchenväter Augustinus und Papst Gregor, Ambrosius und Hieronymus. Sinnfälliger könnte Rabanus, eine der bedeutenden Persönlichkeiten der karolingischen Renovatio, nicht eingeordnet werden. Träfe diese Vermutung zu, dann wäre die Skulptur auf dem Hochaltar aus Mainz das bedeutendste Rabanus-

Hochaltar der
ehemaligen
Mainzer Kartause
in der ehem.
Abteikirche in
Seligenstadt, ge-
weiht 1715, Figu-
ren wohl von
Franz Matthias
Hiernle (Lands-
hut 1677 bis 1732
Mainz)

Vermutliche
Darstellung des
Rabanus Maurus
auf dem Hoch-
altar der ehem.
Mainzer Kar-
tause, 1715

Denkmal – in unmittelbarem Zusammenhang mit anderen Heiligen, und dies auch dank der hohen künstlerischen Leistung. Als Bildhauer werden Franz Matthias Hiernle und Burkhard Zamels vorgeschlagen.[22] Am Anfang eines solchen Figurenprogramms steht der Kölner Kupferstich von 1626, in dem Rabanus einem nicht genannten Kirchenvater zur Seite gestellt wird. Im Hochaltar der Mainzer Kartause erweiterte sich das Programm beträchtlich.

Ein Denkmal für Rabanus setzte in neuerer Zeit die Gemeinde Winkel am Rhein. Pfarrer Stoll, Seelsorger des Ortes, in dem Rabanus um 850 ein Hofgut erbauen ließ, regte 1901 die Errichtung des Denkmals an.[23] In der Abschrift der Urkunde für den Grundstein heißt es: »Eine Ausstellung von Gemälden der Gräfin Julie Matuschka und anderer Künstler ergab den Grundstock zur Bestreitung der Kosten des Denkmals, der durch reichliche Gaben einzelner Gönner rasch anwuchs. Im Jahre 1902 wurde die Ausführung des Denkmals dem Bildhauer Anton Rüller in Münster übertragen, dessen Entwurf im Mai 1906 in der Königlichen Gallerie im Museum zu Wiesbaden aufgestellt, auch bei den staatlichen Behörden allgemein Beifall fand . . . Nachdem der Guß des Denkmals vollendet, legen wir den Grundstein zu dem Denkmal des ersten bedeutenden Lehrer Deutschlands, dem Mitschöpfer der deutschen Bildung, zugleich als Dank der Gemeinde Winkel und des Rheingaues für die von ihm während der Hungersnot des Jahres 850 hier so reich ausgeübte Liebestätigkeit . . . Winkel, den 28. Oktober 1906.«

Bereits am 16. Dezember 1906 wurde unter großer Anteilnahme der Bevölkerung das Denkmal eingeweiht. Der Generalvikar des Bistums Limburg, Domdekan Hilpisch, hielt die Festpredigt. In der kleinen Chronik, die die Mitglieder des Denkmalausschusses herausgegeben hatten, wird vermerkt: »Die Kosten des Denkmals belaufen sich auf etwa 7000 Goldmark und sind noch nicht ganz aufgebracht«. Für die kleine Gemeinde war es ein risikoreiches Unterfangen, »ihren« Rabanus mit einem monumentalen Denkmal zu ehren.

Man wird diese Initiative und Lösung der Aufgabe unter dem Gesichtspunkt sehen müssen, daß das 19. Jahrhun-

Rabanus-Denkmal in Winkel von Anton Rüller, 1906
Foto: Klaus Benz

Rabanus-Statue (Ton) am Rabanus-Maurus-Kinderhort in Mainz von Adam Winter, 1952

Rabanus-Darstellung an der Kirche St. Rabanus Maurus in Mainz, Bronze von Cornelius Hoogenboom, 1965

dert eine Epoche des Denkmal-Kultes geworden war. Wir weisen auf das Siegesdenkmal von Johannes Schilling auf der Kuppe des Niederwalds bei Bingen hin (entstanden 1877/83) und auf das aufwendige Luther-Denkmal von Ernst Rietschel in Worms (entstanden 1858/68), auch auf die zahlreichen Goethe- und Schillerdenkmäler (für Schiller dasjenige von Johann Baptist Scholl d. J. 1861/62

in Mainz). Anton Rüller (1864–1936), für den man sich in Winkel entschieden hatte, ist der Bildhauer eines Denkmals für Annette von Droste-Hülshoff in Münster (1896) und für Jakob Grimm (1905). Am Turmportal der Liebfrauenkirche zu Münster wurden seine »Zwölf Apostel mit der Mutter Gottes« aufgestellt.

Man wird sagen müssen, daß Rüllers zweieinhalb Meter

hohe Bronze auf zwei Meter hohem Granitsockel mit einem großen Relief vor der Kirche in Winkel eine gute künstlerische Arbeit ist. Rüller hat sich an den Typus gehalten, den wir von den Barock-Darstellungen her kennen: Rabanus hält in der Rechten die Schreibfeder, in der Linken ein Buch. Neu ist das Motiv mit dem am Boden sitzenden Kind, das ein Kreuz hält, zu dem Rabanus herunterblickt, – eine Anspielung auf das Werk »De laudibus sanctae crucis«. Das Relief am Sockel des Denkmals zeigt Rabanus mit einem halbnackten Mann und einer Frau mit einem Kind. Er reicht ihnen Kleidung und Brot. Die Szene erinnert nicht nur an die Not im Jahre 850, der Rabanus entgegentrat. Sie bezieht sich auf seine Grundeinstellung, die er in einer Weihnachtspredigt bekundete: »Warum soll der Arme keine Speise mit dir empfangen, kein Gewand, wenn er mit dir das Kleid der Unsterblichkeit erhält?«

In neuester Zeit sind zwei Rabanus-Plastiken innerhalb von Mainz angebracht worden: eine Statue aus Keramik, die der Bildhauer Adam Winter aus Mainz-Kastel (1903–1978) im Jahre 1952 für den Kinderhort St. Rabanus Maurus in der Wilhelmiterstraße geschaffen hat, sowie eine große Bronze von Cornelius Hoogenboom aus Darmstadt (geb. 1935) für die Fassade der 1965 eingeweihten Kirche St. Rabanus Maurus.

Demjenigen, der die Künste in seinem Leben und Wirken nicht ausschloß, haben Künstler ein Denkmal gesetzt: in literarischer Art zur Zeit der Humanisten, mit graphischen, malerischen und bildhauerischen Mitteln vor allem im Barock und zu Beginn unseres Jahrhunderts. Ein Bild solle »den Geist zur Erinnerung zurückrufen«, – dieser Satz aus »De universo« gilt auch für die Denkmäler, die Künstler für Rabanus Maurus geschaffen haben.

ANMERKUNGEN

1 Ausführliche Literaturangaben bei Maria Rissel a.a.O. Frankfurt 1976. – Die Münsteraner Dissertation von H. G. Müller ist in Ratingen 1973 erschienen, hier ausführliche Literaturangaben. Die Themen des Symposions der Akademie der Wissenschaften und der Literatur in Mainz: Karl Schmid, Die Fuldaer Mönchsgemeinschaft zur Zeit Rabanus im Spiegel der Memorialüberlieferung, – Eckehard Freise, Zum Geburtsjahr des Rabanus Maurus. – Walter Heinemeyer, Die Sammlung und Ordnung der Fuldaer Urkunden unter Abt Rabanus. – Herrad Spilling, Das Fuldaer Skriptorium zur Zeit Rabanus. – Raymund Kottje, Rabanus und das Recht. – Wilfried Hartmann, Die Mainzer Synoden unter Rabanus. – Gangolf Schrimpf, Rabanus und der Prädestinationsstreit des 9. Jahrhunderts. – Josef Fleckenstein, Rabanus Maurus–Diener seiner Zeit und Vermittler zwischen den Zeiten. – John McCulloh, Rabanus' Martyrologium als Zeuge seiner geistigen Arbeit. – Burkhard Taeger; Rabanus und die Praefatio zum altsächsischen »Heliand«. – Wolfgang Haubrichs, Althochdeutsch in Fulda und Weißenburg-Beziehungen zwischen Rabanus und Otfried. –

2 P. Clemen, Studien zur Geschichte der karolingischen Kunst I, in Repertorium für Kunstwissenschaft 13/1890, S. 123 ff. – J. v. Schlosser, Eine Fuldaer Miniaturhandschrift, in Jahrbuch der Kunsthistorischen Sammlungen 13/1892, S. 1 ff. – H. J. Hermann, Beschreibendes Verzeichnis der illuminierten Handschriften in Österreich, VIII, Wien-Leipzig 1923, S. 88 ff. – J. Prochno, Das Bild des Rabanus, Festschrift W. Goetz, Berlin 1927 – Das Schrein- und Dedikationsbild in der deutschen Buchmalerei. Berlin-Leipzig 1929. – F. Mütherich, Die Buchmalerei am Hofe Karls d. Gr., in Karolingische Kunst, hrsg. von W. Braunfels und H. Schnitzler, Bd. III., Düsseldorf 1965, S. 9 ff. – P. Bloch, Zum Dedikationsbild im Lob des Kreuzes des Rabanus Maurus, in Das erste Jahrtausend, Bd. I, Düsseldorf 1962 S. 471 ff. – K. Holter, Kommentar zur Faksimile-Ausgabe »Liber de laudibus sanctae crucis«, Graz 1973, S. 9 ff.

3 J. Szövérffy, Weltliche Dichtungen des lateinischen Mittelalters, Berlin 1970, S. 570.

4 M. Rissel a.a.O. S- 320.

5 Die angeführten Zitate in der Einleitung zu »Liber de laudibus sanctae crucis«, Druckausgabe, Pforzheim 1501/03 und in der Gesamtausgabe der Werke von Rabanus, Köln 1626.

6 J. Chr. Dreyhaupt, Beschreibung des Saalischen Kreises, Halle 1749.

7 In: Das erste Jahrtausend, Bd. I. Düsseldorf 1962 S. 344 ff.

8 Nach freundlicher Mitteilung von R. Gensen, Leiter der Abt. Vor- und Frühgeschichte der Außenstelle Marburg.

9 R. Assunto, Die Theorie des Schönen im Mittelalter, Köln 1963, S. 140 ff.

10 siehe Anm. 2, auch in: Die Kunst der Karolinger, München 1969 von J. Hubert, J. Porcher, W. Fr. Volbach, S. 196. – H. Fillitz, Das Mittelalter I, Propyläen Kunstgeschichte, Berlin 1969, S. 42, 139, Abb. 29.

11 P. C. Burkart, Der heilige Rabanus Maurus, ein Gottsucher unserer Heimat, Limburg 1955. Übersetzung S. 14 ff.

12 Dazu R. Assunto a.a.O. Abb. 20 und S. 132.

13 a.a.O. S. 117 und 133.

14 Zum Dedikationsbild im Lob des Kreuzes a.a.O. S. 482.

15 Mittelalterliche Bezeichnung für ein Sternbild. Die Klärung dieser Textstelle hat freundlicherweise Walter Löffler vermittelt.

16 F. Mütherich, Die Reiterstatuette aus der Metzer Kathedrale, in Studien zur Geschichte der europäischen Plastik, München 1965 S. 9 ff. – Führer durch das Römisch-Germanische Zentralmuseum in Mainz, Das frühe Mittelalter S. 208 f. – H. Fillitz a.a.O. S. 159, Abb. der Originalstatuette Abb. 87.

17 K. Weidmann, Throne, in Ingelheim am Rhein/Geschichte und Gegenwart, 1974, S. 399.

18 Zum Thema Renaissance oder Renovatio: W. Paatz in Beiträge zur Kunst des Mittelalters (Vorträge des 1. Deutschen Kunsthistoriker-

tages auf Schloß Brühl 1948), Berlin 1950, S. 16 ff., Diskussion, S. 25 ff. und in Die Kunst der Renaissance, 1. Ausgabe Stuttgart 1953, S. 20 – D. Groszmann a.a.O. S. 355. – H. Fillitz a.a.O., S. 19. – O. Spengler, Untergang des Abendlandes, Bd. II, S. 102.

19 Für Hinweise ist Domkapitular Ludwig Pralle, Fulda, zu danken.

20 Kunstdenkmäler Hessen, Kreis Offenbach S. 187. – F. Arens, Bau und Ausstattung der Mainzer Kartause, Beiträge zur Geschichte der Stadt Mainz, Bd. 17, Mainz 1959, S. 27.

21 F. Arens a.a.O., S. 34.

22 F. Arens a.a.O. S. 35.

23 Der jetzige und frühere Pfarrer, H. Wolf und H. Helsper, stellten die diesbezügliche Literatur zur Verfügung, darunter auch Th. Spenglers »Leben des heiligen Rhabanus Maurus/Zum 1000jährigen Jubiläum«, Regensburg 1856. – In Winkel gedachte man auch 1956 des Todestages des Rabanus vor 1100 Jahren.

LITERATUR (AUSWAHL)

Die Literatur über Rabanus Maurus ist sehr umfangreich. Wir führen sie auszugsweise an und verweisen dabei auf die Literaturangaben in den ausgewählten Büchern. Ausführliche Literaturhinweise enthalten insbesondere die beiden Dissertationen von H. G. Müller und M. Rissel.

Auf den neuesten Stand gebracht ist die Rabanus-Bibliographie in der Festschrift »Rabanus Maurus und seine Schule«, Herausgeber Rabanus Maurus-Schule in Fulda 1980. Zusammenstellung: H. Spelsberg und W. Böhne. Die Festschrift enthält u. a. folgende Beiträge: M. Sandmann, Rabanus Maurus als Mönch, Abt und Erzbischof. – F. Mütherich, Rabanus Maurus und die Fuldaer Buchmalerei seiner Zeit. – Josef Leinweber, Rabanus Maurus in der Sicht der Humanisten. W. W.

F. Kunstmann	Magnentius Hrabanus Maurus. Eine historische Monographie, Mainz 1841.
T. Spengler	Leben des heiligen Rhabanus Maurus, Erzbischof von Mainz. Regensburg 1856.
E. Dümmler	Hrabanstudien. In: Sitzungsberichte der kgl. Preußischen Akademie der Wissenschaften Berlin 1898.
J. B. Hablitzel	Hrabanus Maurus. Ein Beitrag zur Geschichte der mittelalterlichen Exegese. Freiburg i. Br. 1906.
H. Bork	Hrabanus Maurus. In: Die deutsche Literatur des Mittelalters, Verfasserlexikon, hrsg. von W. Stammler, Berlin 1936.
H. Peltier	Artikel »Raban Maur«. In: Dic. Théol. Cath., tom. XIII, 2, Paris 1939.
P. C. Burkart	Der heilige Rabanus Maurus ein Gottsucher aus unserer Heimat. Limburg 1955.
St. Hilpisch	Der heilige Rabanus Maurus, Abt des Klosters Fulda und Erzbischof von Mainz. Fulda 1955.
M. Bernards	Hrabanus Maurus. In: Die großen Deutschen V. Erg. Bd. Berlin 1957.
P. Lehmann	Zu Hrabans geistiger Bedeutung. In: Erforschung des Mittelalters. Bd. III. Stuttgart 1960. S. 198–212.
H. Klingenberg	Hrabanus Maurus. In: Festschrift für Otto Höfler zum 65. Geburtstag, Bd. II. Wien 1968, S. 273–300.
E. Heyse	Hrabanus Maurus Enzyklopädie »De rerum naturis«. München 1969.
H. G. Müller	Hrabanus Maurus – De laudibus sanctae crucis –. Ratingen–Düsseldorf 1973.
M. Rissel	Rezeption antiker und patristischer Wissenschaft bei Hrabanus Maurus. Frankfurt 1976.
F. Staab	Hraban in seiner Zeit. In: Rabanus Maurus Gymnasium, Blätter des Bundes der Freunde und ehemaligen Schüler des Humanistischen Gymnasiums zu Mainz, Nr. 39, 1979.
H. Link	Rabanus Maurus. Leben in einer Zeit der Bildungsreform. In: Die Geschichte des Rabanus Maurus Gymnasiums Mainz, 2. Aufl. Mainz 1980, S. XV ff.
H. Maier	Rabanus Maurus – Lehrer der Deutschen –. In: Zeitschrift »Lebendiges Rheinland-Pfalz«. Jhrg. 1980, Heft 2, S. 29–35.

Rabanus Maurus 780–1980 · Überlegungen zu einer Ausstellung

Von Wolfgang Bickel

I. Die zwölfhundertste Wiederkehr eines Geburtsjahres mit Vorträgen und einer Ausstellung zu begehen, birgt wie alle Jubiläumsfeiern dieser Art die Gefahr vielfältiger Mißverständnisse. »780–1980« kann aufgefaßt werden als Hinweis auf ungebrochene Fortdauer, kann den Anschein erwecken, es herrsche Einverständnis zwischen dem, was damals geschah und was uns heute bewegt, so daß wir uns bestätigt fühlen können in dem, was wir tun, kann vielleicht suggerieren, Kulturgeschichte sei Besitz, der nun zwölfhundert Jahre in guten Händen ist. Aber da ist keine stetige Tradition, kein Einverständnis waltet zwischen den Lösungen damals bewegender Probleme und unseren, die Geschichte ist kein fraglos vorhandener Besitz, von dessen Rendite wir als Pensionäre leben könnten.

Gerade angesichts seiner Fremdheit müssen wir uns fragen, was dieser Mann und seine Zeit uns heute bedeuten. Diese Frage aber ist sehr verschieden zu beantworten. Mit der Planung und Durchführung der Ausstellung ist diese Frage dem Historiker, dem Museumsfachmann und dem Pädagogen gestellt. Dem Wissenschaftler ist es ein Forschungsgegenstand, dem Pädagogen eine Herausforderung, sich Rechenschaft abzulegen über die Bedeutsamkeit des Vergangenen für das Gegenwärtige. Davon soll in den Vorüberlegungen die Rede sein. Der Pädagoge hat den Titel also von seinem Schluß her zu denken, von 1980 aus; denn unsere Probleme, Hoffnungen und Ängste lassen uns nach Geschehenem fragen, weil wir hoffen, daß uns dort begegnet, was uns heute angeht, so daß es ein Licht wirft auf unsere Existenz.

Was soll in unserer Situation eine Ausstellung über einen Abt und Bischof und eine Zeit, die 1200 Jahre zurückliegt? Was kann uns der farbige Abglanz jener fernen Zeit helfen, wo es uns um Anpassung und Verweigerung geht, um dumpfes Fortschreiben vergeblich bewährter Lebensmaxime, deren Ausdruck doch gerade die Krise ist und um die überall beobachtbaren Versuche, sich allen Pflichten zu entziehen durch die Abreise in Rauschzu-

stände, was ja den vorgeblich nüchtern Gebliebenen das Feld freimacht und ihre Selbstsicherheit bestätigt. Das ist das Problem der Schule, weil es das Problem einer Kultur ist. Inwiefern kann Vergangenes uns heute helfen? Vergangenes kann Reiseland sein für das an der Gegenwart mit ihren Problemen und Ängsten müde gewordene Bewußtsein. Die verlockende Fülle dessen, was uns an Bilder von Vergangenem zur Verfügung ist, und was an Bildern noch entsteht, darf aber nicht das Bewußtsein trüben, daß es um die Probleme der Gegenwart und um ihre Lösung geht, wenn es noch Zukunft geben soll.

Bedeutsam im Kosmos der Gedanken, Worte und Werke kann der Erziehung nur sein, was tüchtig macht zum Erkennen der Situation und ihrer Probleme und zu verantwortlichem Handeln. Angesichts von Trübung und Bedrohung ist ihr allein wesentlich, was erhellt und erhält. Dabei kann sehr Fernes plötzlich entscheidende Einsichten öffnen, und dies nicht nur durch eine übergeschichtliche Richtigkeit, die unsere Ansichten bestätigend uns geradewegs voranbringt, sondern durch die Andersartigkeit des Blickwinkels, wodurch unsere Gewohnheiten in Frage gestellt werden und unsere Anerkennung fordernden Wertvorstellungen relativiert werden. So mündet die Frage nach der Bedeutsamkeit ein in die Frage nach der Wahrheit, insofern auch dies zu den Kriterien des Wahren gehört, daß es erhellt und erhält. Wie denn die Wahrheit einer Lehre, einer Weltauffassung, einer Theorie überhaupt nicht in der Richtigkeit des wissenschaftlichen Ansatzes zu suchen ist und nicht in der Sicherheit der Prognosen, sondern darin, inwieweit sie in der historischen Situation ihres Auftretens und in ihrer Wirkungsgeschichte die herrschenden Anschauungen ihres Götzencharakters entkleidet. In Alkuins Gespräch mit Pippin antwortet der Lehrer dem Schüler auf die Frage, was die Erde sei: »Die Mutter der Gewächse, die Ernährerin der Lebendigen, die Vorratskammer des Lebens, das Grab aller«. Über ein Jahrtausend hinweg war diese Antwort richtig und belanglos

Rasdorf bei Fulda, Kapitelle unter der Westempore der ehem. Klosterkirche, 1. Hälfte 9. Jahrhundert (?)

zugleich, für uns ist sie von bezwingender Wahrheit, weil sie als Mutter zeigt, was wir als Beute behandeln. Freilich, die Begegnungen mit dem, was erhellt, setzt zweierlei voraus, die Bereitschaft, sich den Aussagen zu stellen und die Einsicht in die Bedürftigkeit der Lage.

II. Eine Ausstellung zum Leben Rabanus' muß zunächst als Aufgabe verstanden werden, diesen Adeligen, Mönch, Abt und Erzbischof in seiner Kulturepoche zu zeigen. Und hierbei geht es um die Kultur des späten 8. und der ersten Hälfte des 9. Jahrhunderts, die sich durch ihre großen Denkmäler vergegenwärtigt, so daß wir zu-

nächst wohl an das Aachener Münster denken, an Ada-Handschrift, Lorscher Buchdeckel, St. Galler Plan, vielleicht an den Heliand. Aber was wir Kultur nennen, ist mehr als der Kreis künstlerischer Schöpfungen. Auch das sind Antworten auf gestellte Fragen. Wollen wir sie verstehen, müssen wir den Weg zu den Fragen zurückzugehen versuchen. Eine Ausstellung, deren Schwerpunkte große künstlerische Werke bilden, sollte versuchen, auch den Blick zu lenken auf den Hintergrund, vor dem sie entstanden, denn die klassischen Werke repräsentieren die Epoche nur zu einem Teil. In ihnen gewann die Sehnsucht nach der vollendeten Schöpfung Gestalt, aber solche Sehnsucht gedieh auf dem Boden erlittener Barbarei. Nur sind die Einblicke in dies Allgemeine selten: Wer täglich litt unter Hitze und Kälte, unter dem Stock des Aufsehers, schrieb nicht. Über Mühselige und Beladene hören wir, wenn überhaupt, nur aus den Klöstern und von den Höfen, denn dort schrieb man. Aber selbst das Wenige, was wir von dort über tägliche Plagen hören, läßt uns ahnen, in welchem Spannungsverhältnis die Dürftigkeit des täglichen Lebens und die Barbarei schier unaufhörlicher Kriegszüge standen zu den in vollendeter Ruhe und Klarheit erscheinenden Schöpfungen der Hofkunst.

Mit der Wiederaufnahme von klassischem Maß und antiker Form versuchten Karl der Große und sein Hof, die Greuel der Merowingerzeit endgültig zu bannen, eine Kultur zu stiften, aber die gefeierte Wiedergeburt der Antike blieb in ihrer Vollkommenheit ein utopisches Gegenbild zur Unzulänglichkeit des Lebens. Auch hier gilt, was über die Wahrheit der Wertvorstellungen gesagt wurde. Auch die Wahrheit der Utopie von der vollendeten Gestalt – als Vorgriff auf die vollendete Welt – liegt in ihrer Bedeutung für die bestehende: vorgebliche Macht des Faktischen wird als vorgegebene und vorgeschobene sichtbar. Wenn aber so die Wahrheit eines vollkommenen Bildes auch darin besteht, daß es uns vom Herrschaftsanspruch unserer Götzen befreit, indem es das Häßliche und Irdische als endlich erweist, uns auf solche Weise befreit und uns durch die Hinwendung zum Vollkommenen zu heilen sucht, dann treffen im Wesen des Schönen ästhetische und ethische Kategorie zusammen. Dies aber, daß das Gute und das Schöne im Grunde nicht zu trennen sind, gehört zu den Unumstößlichkeiten jener Zeit. Vermittelt wurde es durch die Pseudo-Dionys-Übersetzung des Johannes Scotus Eriugena. Die neuplatonische Philosophie – besonders im Werk des Areopagiten – stellte die Grundbegriffe für die Überlegungen zum Problem des Schönen, und in der einen Wirklichkeit des Neuplatonikers, die letztlich, die eine Wirklichkeit des Gottes ist, muß alles Nachdenken über das Schöne in die Theologie einmünden – und von ihr ausgehen. Denn alle Schönheit weist zurück und voraus auf das unnennbare Eine. Ist dies so, dann stehen alle Werke der Kunst gleichsam auf Sprossen der Himmelsleiter. Sie verweisen aus der Welt täglicher unvollkommener Verrichtung, täglicher Schuld und Not in die

einzig wirkliche Dimension der Welt. Wenn im Anfang unseres Jahrhunderts Henri van de Velde in anderem Zusammenhang feststellte, daß das unvorhergesehene Dazwischenkommen des Künstlers die Sicherheit der bestehenden Sachlage gefährde, so gilt dies für unsere gegenwärtige wie für jene ferne Zeit. Insofern das künstlerische Werk Antwort ist auf eine herausfordernde Frage, hebt es den Betrachter auf eine höhere Ebene des Bewußtseins, hebt es, um in neuplatonischen Bild der Himmelsleiter zu bleiben, ihn eine Sprosse weiter empor zum Ziel. Fragen und Antworten sind also zugleich zu betrachten.

III. Der Gedanke an die innige, aber zugleich widerspruchsvolle Verbindung von Herausforderung und künstlerischer Antwort führt uns vom 9. Jahrhundert zurück in die Gegenwart und an die Frage heran, was in dieser Hinsicht eine Ausstellung über eine vergangene Kultur an der Gegenwart zu leisten habe. Kern unserer Überlegungen ist die Betrachtung jenes Punktes, in dem im schöpferischen Prozeß die Grenzen des Vorhandenen überschritten, Denk-, Seh- und Hörgewohnheiten in Frage gestellt, Wirklichkeiten erweitert werden. Der künstlerische Prozeß erweist sich in dieser Hinsicht als der Sauerteig der Kultur, und diese erscheint so weniger als Summe aller Kunstwerke, denn vielmehr als dieses gestaltende und somit umgestaltende Handeln. Kultur, so ließe sich der Satz vereinfachen, ist nicht, was man hat, sondern was man tut, und wie man es tut.

Beginnen wir mit dem Blick auf die Gegenwart, auf die Gefahr hin, daß vieles in der Verallgemeinerung unzutreffend wird. Dem Zeitgenossen erscheint die Lage grotesk. Kultur wird als Besitz hoch geschätzt. Aber Kunst und Kultur gehören in den Feierabend, sie haben die Kreise täglicher Berufswelt nicht zu stören, dort wirkt ihre verwandelnde Kraft eher bedrohlich. Schulen sind charakteristische Orte solcher beklemmenden Erfahrung. In vorgeblich funktional gestalteten Gebäuden, eingepaßt in Abläufe, die vom Stundenplan bis über die Notenerfassung auf der Datenbank rational gestaltet sind – was denn das auch sein mag –, bleibt dem, was sich in der Institution ausspricht, die Selbstperpetuierung einer Kultur durch ihre Erscheinungen, nur der Raum sprachlicher Erörterung. Ist aber Kultur erst einmal als Besitz gedacht, dann schrecken weder der »Mönch am Meer«

noch die »Gescheiterte Hoffnung«, dann bringen uns im Bewußtsein weder ein staufischer Radleuchter noch das Rad der Fortuna voran. Aber das sollen sie ja auch gerade nicht. Wenn wir uns mit dieser Ausstellung der Kultur der karolingischen Zeit zuwenden, dann, um bewußt zu machen, wie jede Epoche dieses Sauerteigs der verwandelnden Kraft bedarf, aber vor allem auch der Bereitschaft, sich verwandeln zu lassen.

IV. Der Zugang zur karolingischen Epoche wie zum Mittelalter überhaupt, ist uns auf vielfache Weise erschwert. Wir verstehen etwas anderes unter Wirklichkeit als jene Zeit, unser Kunstbegriff ist ein anderer – und schon gar das Verhältnis von Kunst und Wirklichkeit bedarf näherer Betrachtung. Die Erfahrung einer Trennung von »Lebenswirklichkeit« und »Wirklichkeit der Kunst« macht es uns schwer, die grundsätzliche Einheit beider Bereiche im Mittelalter zu sehen. Auf die Verwandlung des Gegenstandes weist die Bedeutungsverschiebung des Begriffes hin. Als freie Künste erscheinen uns heute die sogenannten zweckfreien Künste, getragen von der beanspruchten Autonomie des Künstlers. Ihr Wirkungsfeld sind die Bildenden Künste und die Musik. Sie sind getrennt vom Kunsthandwerk, dem Angewandten. Im Mittelalter waren die Freien Künste die Beschäftigungen der Freien. Es waren Wissenschaften: Grammatik, Rhetorik, Dialektik, Musik, Arithmetik, Geometrie und Astronomie – im Gegensatz zu den mechanischen Künsten, die Techniken waren. Wenn wir von mittelalterlicher Kunst reden, meinen wir die Schöpfungen der mechanischen Künste. Sie erfüllte praktische Bedürfnisse. Dies gilt gleichermaßen vom Evangeliar, vom liturgischen Kamm, vom Kochtopf und vom Schwert. Nur war die Dimension dessen, was wir »praktische Bedürfnisse« nennen, größer als sie es heute ist, nicht verengt auf innerweltliche Wunschvorstellungen. Jenseitiges und Diesseitiges waren ineinander, und wie es in dieser Wirklichkeit keine Trennung gab zwischen profanem und geistlichem Bereich, dienten die mechanischen Künste der ganzen Wirklichkeit, die erfüllt war vom Kampf des Dämonischen mit dem Göttlichen, in der das Einwirken des Teufels wie Gottes unmittelbar und mittelbar erfahren wurde. Dem theologisch Gebildeten half Augustins Lehre vom Gottes-Staat, in allem den beständigen Kampf zwischen dem Reich Gottes und dem Reich des Teufels zu sehen, aber auch die immer

entschiedenere Scheidung von Glauben und Unglauben, von Christus und Antichrist, alles eingebettet in die göttliche Schöpfungsordnung, in der für die Augen des Glaubens erkennbar ist, wie der allmächtige Gott menschliches Handeln fördert, hindert und verkehrt. Dem Mann auf dem Felde draußen begegneten die Überschwemmungen und Dürre, in der Hungersnot von 850 und Rinderpest von 890 die Werke des Bösen, von Dämonen, von Zauberern: davon berichtet im Jahre 816 der Erzbischof Agobard von Lyon: »Hierzulande glauben fast alle Menschen, Adel und Volk, Stadt und Land, Alt und Jung, daß Hagel und Donner von Menschen gemacht werden können. Sie sagen nämlich, sobald sie Donner hören und Blitz sehen: ›das ist Hebewetter‹. Wenn man sie dann fragt, was Hebewetter sei, versichern die einen verschämt und mit etwas schlechtem Gewissen, die anderen aber so zuversichtlich, wie Unkundige gewöhnlich sind, der Sturm habe sich erhoben aufgrund der Zaubersprüche von Leuten, die Wettermacher heißen, und werde deshalb Hebewetter genannt. Ob das wahr ist, wie man im Volke glaubt, muß sich mit der Autorität der Heiligen Schrift beweisen lassen. Wenn es aber nicht wahr ist, wie wir ohne Schwanken glauben, muß mit größtem Nachdruck hervorgehoben werden, daß sich derjenige einer ganz großen Lüge schuldig macht, der Gottes Werk einem Menschen zuschreibt . . . Erst vor wenigen Jahren verbreitete sich eine Welle von Dummheit anläßlich eines Viehsterbens. Da sagte man, Herzog Grimald von Benevent habe Leute mit einem Pulver herübergeschickt, das sie über die Felder, Berge, Wiesen und Quellen ausstreuten, und zwar weil er mit dem allerchristlichsten Kaiser Karl verfeindet sei, und an diesem ausgestreuten Pulver stürbe das Vieh . . .« Das Heil war da zuerst durch den magischen Zauberritus zu suchen, sei es durch den heidnischen, sei es durch den christlichen. Da ziehen die Oberhirten und die ganze Geistlichkeit im Jahre 873 – nach dem Bericht der Xantener Annalen – an vielen Orten mit Reliquienschreinen und Kreuzen den Heuschreckenschwärmen entgegen. Auch wenn es nicht böse Mächte sind, die die Menschen bedrängen, sondern Heimsuchungen Gottes, bleiben doch die Naturereignisse auf das menschliche Leben bezogen. Der Chronist des Xantener St. Victor-Stiftes berichtet weiter: »Doch nicht überall, sondern stellenweise, richteten sie (die Heuschrecken) Schaden an. Desgleichen bedeckte am 1.

November bis Sexagesimae Schnee die ganze Erdoberfläche, und mit verschiedenen Plagen schlug der Herr beständig sein Volk und suchte heim mit der Rute ihre Ungerechtigkeit und mit Schlägen ihre Missetat.« Wie in der Magie überhaupt, suchte man das Heil verfügbar zu machen, also auch das Heilige. Ältere Glaubensvorstellungen lebten natürlich fort; das erfahren wir aus dem Verbot der Verehrung von Bäumen, Steinen und Quellen. Oder sie traten in neuer Gestalt auf. Es fiel schwer, das massive Heilsbedürfnis zu steuern: verboten wird, neue Heilige zu verehren, die Zahl der verehrungswürdigen Engel wird festgesetzt, den Priestern muß verboten werden, Salböl als Medizin oder Zaubermittel zu verkaufen. Solche Beobachtungen können uns deutlich machen, wie in der einen Wirklichkeit Religiöses und mit ihm Magisches ausdrücklich explizit das Leben bestimmt. Die Entscheidung Karls und seines Kreises im Bilderstreit ist vor diesem Hintergrund zu betrachten. Werden nämlich die Bilder selbst als verehrungswürdig zugestanden, dann öffnet dies eine weitere Tür für magische Praktiken in der Kirche. Die Byzantinische Anschauung, die in der Bilderverehrung sich aussprach, nach der die Heiligenbilder Anteil haben am Heiligen, weil eine Kommunion zwischen Urbild und Abbild bestehe, wäre mit theologischem Scharfsinn durchaus auch im Westen zu vertreten gewesen. Aber sie wäre eine Antwort auf den Hunger nach Magie gewesen, hätte ältere germanische Vorstellungen wieder bekräftigt. So wird nun festgestellt, das Bild sei nur Heilszeichen, nicht Heilsträger, das Kirchenbild diene dem Schmuck, vergegenwärtige heiliges Geschehen, belehre. Das war theologisch gewiß gut gemeint, aber es hatte in der Volksfrömmigkeit keine große Wirkung. Sie wird durch andere Kräfte bewegt als durch theologische Grenzziehungen. Und zu diesen Kräften gehört die Ahnung vom letzten Zusammenhang aller Dinge, das Bewußtsein vom ständigen Zusammenwirken des Diesseitigen und des Jenseitigen, zwischen denen es keine feste Grenze gibt. In alledem steht das christliche Mittelalter der heidnisch genannten Antike näher als der Neuzeit. Erst vor diesem Hintergrund können wir die Kunstwerke jener Zeit verstehen: jeder Gegenstand konnte Heilsträger werden, sei es durch eine Weihe, sei es durch angebrachte magische Zeichen. Im Knotengeschlinge der Gürtelschließe, auf dem Reliquienkasten, im Initial der Buchseite wurde so die Möglichkeit, magische Kräfte zu binden, sichtbar. Das Beispiel des Kreuzzeichens, das Anlaß sein kann zu religiöser Besinnung, aber auch durch seine bloße Gegenwart als abwehrkräftig betrachtet wird, kann uns deutlich machen, wie fließend die Übergänge zwischen Religiösem und Magischem sind. Modern gesprochen müßten wir sagen, daß die Dinge immer mehr bedeuteten als sie waren, aber solche Aussage trifft nicht. Wir müssen im mittelalterlichen Sinne sagen, daß sie mehr sind als das, was ihre äußere Gestalt dem Unwissenden zu erkennen gibt. Und weil alle Dinge mehr sind, als sie scheinen, bedarf es der besonderen Betrachtung. »Betrachten wir nämlich die irdischen Dinge weise und aufmerksam«, sagt Rabanus »dann können wir sie nur geistig und mystisch auffassen«. Und Johannes Scotus Eriugena spitzt den Gedanken ganz im Sinne des Pseudo-Dionys zu: einen Stein oder ein Stück Holz können wir nur begreifen, insofern wir Gott in ihm erkennen.

Wollen wir die Werke jener Zeit verstehen, müssen wir unsere Standpunkte verlassen und uns auf den Weg machen. Aus einiger Distanz erkennen wir unsere Vorstellungen von Wirklichkeit und Kunst als zeitbedingte und mögliche, keineswegs aber als endgültige, die als Maßstab dienen könnte für frühere.

V. Die Erfahrung, daß unsere zuhandene Wirklichkeit transparent ist und eine höhere, wesentlichere Wirklichkeit durchscheinen läßt, wurde nicht nur im Mittelalter gemacht. Thales knüpft ja bereits an diese Erfahrung an. Nicht die Vorstellung, daß die Welt zeichenhaft ist, kennzeichnet das Mittelalter, sondern die Auswahl der Zeichen und die Weise ihrer Entschlüsselung. Im Mittelpunkt aller Zeichen stehen Kreuz und leeres Grab; notwendiger Bezug aller Zeichendeutung bleibt das Mysterium Christi und der Kirche, notwendiger Horizont die Wiederkunft am Ende der Tage. Die Entschlüsselung folgte der Allegorese, der Schriftdeutung. Sie konnte sich auf Ambrosius und Augustinus berufen. Anwendbar wurde sie auf alle Dinge der Welt, auf die natürlichen wie auf die vom Menschen geschaffenen. Alles, was der Mensch ins Werk setzte, war ihm vielfach deutbar, war immer transparent. Dies ist zu bedenken, wenn wir die erhaltenen Spuren jener Zeit betrachten. Es beginnt – paradox – bei der Spurenarmut selbst. Während aus dem 6. und 7. Jahrhundert eine große Zahl von Gefäßen,

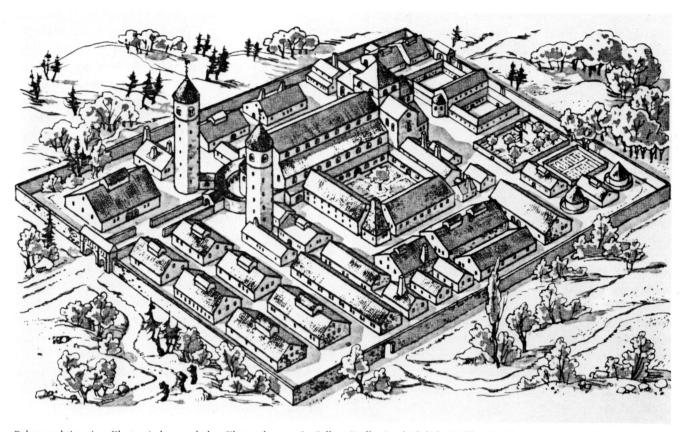

Rekonstruktion einer Kloster-Anlage nach dem Klosterplan von St. Gallen. Quelle: Geschichtliche Weltkunde Bd. 1, Diesterweg-Verlag 1975, S. 127

Schmuckgegenständen, Waffen erhalten ist, blieb aus dem 8. und den nächstfolgenden Jahrhunderten sehr wenig; die Gräber dieser Zeit enthalten keine Beigaben mehr. Die Sitte, den Toten allerlei Wichtiges mitzugeben, wurde als heidnisch verworfen, das Fortleben spiritueller gedacht. Über weite Strecken können wir allein schriftlichen Spuren folgen. Sie führen uns über die liturgischen Handschriften im kultischen Bereich und über die Urkunden in die Adelswelt, es sind vor allem die zahlreichen Stiftungen zum Seelenheil, die uns hier begegnen. Nicht, daß daraus zu schließen sei, der Adel habe besonders fromm und demütig gelebt – auch das Gegenteil ist möglich – aber in diesen Stiftungen wird deutlich, wie das Leben durchscheinend war für das Licht des jüngsten Tages. In diesem Sinne können wir das Mönchtum geradezu als gelebte Transparenz bezeich-

nen. Und dies gilt für alle Formen, für den Eremiten, den Wandermönch, den Zönobiten. Aber Eremit und Wandermönch tilgten noch ihre irdischen Spuren. Spuren sind uns erhalten oder rekonstruierbar vom benediktinischen Mönchtum in Schriften, Kunstwerken, in den Resten der Klosterbauten. Der Ordensbau kann unserem Ansatz folgend, wie der Kirchbau überhaupt, gleichfalls als gebaute Transparenz begriffen werden, in der allein geistige Ordnung herrscht, in der alles rein formale Struktur werden will – wie es zuletzt in der Gotik sich vollendete.

Für die hier betrachtete Epoche ist das Wunderwerk vollkommener Strukturierung der St. Gallener Plan. Es ist diese Transparenz, die die asketische Lebensform von bloßer Armut unterscheidet und ihr die geistige Erheblichkeit gibt, die uns herausfordert. In ihr wird eine

Wahrheit der Existenz sichtbar, »denn die Tiefe wird fast nur durch Einengung bewirkt« (Wilhelm von Humboldt). Auch das mittelalterliche Königtum ist von der modernen Wirklichkeitserfahrung her gar nicht zu verstehen. Keine wichtige Entscheidung konnte gefällt werden ohne Vergewisserung in der wahren Wirklichkeit. Ein Beispiel mag genügen, es entstammt der sogenannten Ordinatio Imperii Ludwigs des Frommen vom Jahre 817: »nachdem wir dies (Fasten, Almosengeben und andere geistliche Übungen als Vorbereitung für die Entscheidung über die Nachfolge) drei Tage lang ordnungsgemäß gefeiert hatten, geschah es, daß sowohl unsere als auch unseres gesamten Volkes Entscheidung in der Wahl unseres geliebten Erstgeborenen Lothar zusammenstimmten.« Es ist ganz selbstverständlich, daß Karl der Große sein »Renovatioprogramm« an den Heilsbedürfnissen orientierte: »weil es unser Anliegen ist, daß der Zustand unserer Kirchen immer bessere Fortschritte mache, bemühen wir uns, die Werkstatt der Bildung, die durch die Trägheit der Vorfahren fast der Vergessenheit anheimgefallen ist, mit unermüdlichem Eifer wiederherzustellen und laden durch unser Beispiel auch diejenigen, die wir können, ein, das Studium der freien Künste gehörig zu betreiben.«

Schließlich ist es die Transparenz der Dinge, die uns vergeblich nach einem Porträt von Rabanus suchen läßt. Und dies gilt nicht nur vom Gemalten. Auch der Versuch, über den rekonstruierten Lebenslauf, über sein Wirken als Abt und Erzbischof die Person zu fassen, Gestalt und Charakter aus der Vergangenheit heraufzuholen, dringt selten bis zum Individuellen, an dem wir interessiert sind, vor. Wenn wir nach seinen eigenen Worten die Dinge nur weise und aufmerksam betrachten können, indem wir sie geistig und mystisch auffassen, dann auch die Person nur, insofern sie transparent wird für Göttliches, das durch sie hindurchscheint. Und dann geht es um dieses, nicht um jene. An diese Stelle wird das Prinzip der Erkenntnis zu dem der Lebensgestaltung. Alles Individuelle ist vergänglich und eitel, es muß aufgehoben werden. Wesentlich ist anderes. Nicht das denkende handelnde Subjekt steht im Mittelpunkt des Interesses, wie wir sahen. Das Subjekt allen Denkens und Handelns ist für Rabanus und seine Zeit ganz selbstverständlich die Gottheit. Unsere Vorstellung vom erkennenden Subjekt und vom erkannten Objekt muß einem Denker des

9. Jahrhunderts »cartesianisch« verdreht erscheinen. Die Behauptung, das Ich sei nicht die erste und nicht die letzte Instanz, ist wohl die kühnste Herausforderung des Mittelalters an uns. Es ist aber nur die Konsequenz der Anschauung von der Transparenz der Dinge.

VI. Solche Überlegungen im Vorhof einer Ausstellung machen uns deutlich, worum es in der Ausstellung geht, und worum es nicht gehen soll. Es geht nicht darum, die gleichsam natürlichen Erwartungen der Besucher zu erfüllen, vielerlei Kostbares und Kurioses zu sehen, in dessen Anschauen man sich vergißt. Es geht darum, nach zwölfhundert Jahren der Geburt eines Mannes durch eine Ausstellung zu gedenken, in der die Lebenskreise, die er durchschritt, Abschnitte des Ausstellungsablaufes sein sollen: Adelswelt, in die er hineingeboren wurde; benediktinisches Mönchtum, für das er bestimmt wurde; das ihn prägte und das er wieder prägte; Königsherrschaft, Lehnswesen und Grundherrschaft als die politischen Dimensionen, in die er sich als Abt von Fulda gestellt sah, karolingische Renovatio als bewußt vollzogene Anknüpfung an antike Vorbildlichkeit, die das in unterschiedlicher Stärke fortwirkende antike Erbe belebt, verstärkt, in neue Bahnen lenkt. Ein Blick in das Wirtschaftsleben soll zeigen, wie archaisch einfach die Grundlage war für die hohen Ansprüche. Geringe Erträge und immer wiederkehrende Hungersnöte sind der Preis für eine Nutzung, die den Boden unbegrenzt fruchtbar erhält, weil die Krise der Ernährung nie die Krise des Bodens wird.

Mit seiner Wahl und Ernennung zum Erzbischof erreicht Rabanus die höchste Würde, zugleich schließt sich der Lebenskreis; er kehrt in seine Heimatstadt zurück, residiert in St. Alban. Zuletzt ist das Nachleben zu betrachten, denn die Nachwirkungen haben den Namen lebendig erhalten. Mit Hilfe von Funden, Handschriften, Bildern, Texten, mit der Rekonstruktion der St. Gallener Klostergartens nach Walahfried Strabos Hortulus soll der Versuch unternommen werden, Einblicke in die Lebenskreise zu gewinnen. Wobei immer aufs Neue bewußt wird, daß es uns kaum gelingen kann, das Leben dieses Mannes zu rekonstruieren oder ein vollständiges Bild seiner Epoche zu entwerfen. Nicht nur das fragmentarische der Überlieferung setzt dem Versuch Schranken, auch unsere Erkenntnisfähigkeit: die Bilder von Vergan-

218

Grabinschrift des Rabanus
Maurus von 856. Bibliothèque Nationale Paris

genem bleiben allemal unsere Bilder. Sie verdichten sich, wo aus dem Vergangenen etwas bedeutsam wird für die Lösung unserer Probleme. Solche Verdichtungen sind: das »ganz Andere« des frühen Mittelalters, das als Ausdruck eines anderen Wirklichkeitsverständnisses uns auf jedem der betrachteten Gebiete begegnet. Es erscheint in der Hochschätzung des monastischen Ideals, in der Würde des Typischen und Allgemeinen und in der damit verbundenen Geringschätzung des Besonderen und Individuellen im Menschen, in der Betonung der vertikalen Dimension des Lebens, in der selbstverständlichen Einheit von Ästhetik und Ethik, wie in der damit verbundenen Anschauung von der objektiven Qualität des Schönen, nach der ein Gegenstand nicht schön war, weil er gefiel, sondern dem, der tiefere Einsicht besaß, gefiel, weil er schön war.

VII. Rabanus Maurus 780–1980: von unseren Denkgewohnheiten her gesehen, erscheint die Zeit des frühen Mittelalters als das ganz-Andere, das uns gerade hierdurch abstößt oder herausfordernd fasziniert. Immer bleibt es mit unserer Gegenwart verbunden, weil wir das Trennende betonen, definitiv denken. Haben wir aber bei unserer Betrachtung der fernen Zeit etwas gelernt, dann müssen wir auch an dieser Stelle beginnen umzudenken. Jene Zeit dachte von der Einheit her, und diese umfaßt nicht nur alle nebeneinander bestehenden Vielheiten, sondern auch alle nacheinander entstehenden, also auch die sich in der Geschichte entfaltenden. Uns ist der Gedanke an solche Einheit aus dem Blickfeld geraten, noch für Giambattista Vico gehörte es – wenn auch schon gleichsam modern begründet – zu den Grundwahrheiten der Geschichtsbetrachtung: »daß diese historische Welt ganz gewiß von den Menschen gemacht worden ist, weshalb in den Modifikationen unseres eigenen menschlichen Geistes ihre Prinzipien aufgefunden werden können«, weil sie dort aufgefunden werden müssen. Zur Zeit des Rabanus wurde dieser Gedanke radikal gedacht und das hieß theologisch: »Auch in den göttlichen Dingen überbieten die Einigungen alle Geschiedenheiten in der Vielfalt, denn sie sind vorher. Und auch nach dem Hinaustreten des Einen in die Vielfalt sind sie um nichts weniger geeint, denn ihre Geschiedenheit bleibt auch dann im Einartigen eines«. Mit diesen Sätzen aus der Schrift »Die Namen Gottes« ist abschließend an ein Ereig-

nis zu Lebzeiten von Rabanus zu erinnern, das für das abendländische Denken ungewöhnlich folgenreich wurde. Kaiser Michael II., der Stammler, ließ Kaiser Ludwig dem Frommen die Schriften des Dionysios Areopagita überbringen. Dies mag im Zusammenhang mit der Gesandtschaft im Jahre 814 geschehen sein. Johannes Scotus Eriugena übersetzte das Corpus Areopagiticum ins Lateinische. Damit begann die unvergleichliche Wirkungsgeschichte des christlichen Neuplatonismus im Abendland, die auf vielerlei Wegen bis in die Gegenwart reicht. In dem Maße, in dem uns ein Licht aufgeht darüber, daß wir die selbstgeschaffenen Probleme nicht durch die Denkgewohnheiten lösen können, deren Ausdruck sie sind, daß es vielmehr eines radikalen Neueinsatzes bedarf, nämlich dem, vom Ganzen her zu denken, in dem Maße können wir jenes Geschenk an Ludwig den Frommen als an uns ergangen betrachten, dessen Inhalt es erneut aufzuarbeiten gilt. Uns überrascht hierbei, worauf Carl Friedrich von Weizsäcker jüngst hinwies, wie erstaunlich nahe nämlich diese Philosophie der indischen Vedanta-Philosophie ist, »in der es letztlich nur eine Wirklichkeit, das eine göttliche Selbst gibt, das Selbst jedes endlichen Ich, das sich als Ich im Strom der millionenfachen Gestalten vorfindet und sich auf sich selbst besinnt. Hinter dieser Verwandtschaft der Lehren, wie immer die historischen Einflüsse gelaufen sein mögen, steht ohne Zweifel eine verwandte meditative Erfahrung«.

Wir kehren zurück zu unseren Bedenken am Eingang des ersten Kapitels. »Rabanus Maurus 780–1980«, der Gedankenstrich zeigte zunächst einen tiefen Graben an. Für den, der sich von den Problemen der Gegenwart her auf den Weg macht zum Vergangenen und dies als für sich bedeutsam begreift, ist er nichts als eine Verbindungslinie, die Geschiedenes verbindet, weil es in der Einheit wesenhaft verbunden ist. Auch vom Titel einer Ausstellung würde Rabanus sagen, daß wir ihn nur weise und aufmerksam betrachten können, wenn wir ihn geistig und mystisch auffassen.

Anmerkungen

Zum ersten und zweiten Kapitel: Wenn sich die Aufgabe stellt, die Gestalt des Rabanus Maurus zu vergegenwärtigen, muß man nach Mitteln suchen, die voraussichtlich hierzu taugen. Zu diesen Mitteln gehören die Möglichkeiten musealer Präsentation. Gerade weil die Gestalt sich nicht als Individuum im modernen Sinne verstand, deren individuelle Stärken und Schwächen im Licht der Selbststilisierung lagen, bietet es sich an, durch Rekonstruktion der Lebensumstände, durch ständiges Umkreisen Einblicke in das Leben der Person zu gewinnen.

Der Verfasser wurde von der Direktion des Rabanus-Maurus-Gymnasiums und dem Mittelrheinischen Landesmuseum mit der Entwicklung des Konzepts einer Ausstellung beauftragt. Gemeinsam mit den Herren Prof. Weber, Dr. Selzer und Dr. Staab versuchte er, dieses Umkreisen als einen Gang durch die Lebensbereiche des Rabanus zu gestalten. Von Anfang an waren dabei die Planungen durch eine Reihe von Prinzipien festgelegt: Die Vielfalt der Lebensbereiche sollte durch eine Vielfalt der Objektarten vergegenwärtigt werden: neben Gebrauchsgegenständen wie Waffen, Schmuck, Töpfe sollten Dokumente treten wie Urkunden, neben diese Bücher, neben Bauskulptur Baumodelle und Fotos, neben Schrifttafeln Karten u.s.w. Hinzu tritt die lebende Pflanzenwelt des Klostergärtchens. Entscheidendes Prinzip bleibt hierbei: nicht die einzelnen Gegenstände stehen im Mittelpunkt, sondern Rabanus. Damit sind wieder inhaltliche, also didaktische Fragen angesprochen. Ihnen gelten die »Überlegungen im Vorhof einer Ausstellung« insgesamt.

Im Zusammenhang des dritten Kapitels sei an Goethes Eins und Alles erinnert (Band I der Hamburger Ausgabe, S. 368 f.) besonders im Hinblick auf die im siebten Kapitel angesprochenen Nachwirkungen neuplatonischen Denkens, von dem allein er her verständlich ist. Im vierten Kapitel werden Wirklichkeitsverständnisse idealtypisch einander gegenübergestellt. Wenn dabei das mittelalterliche als einem »gegenwärtigen« entgegengesetzt angesprochen wird, dann ist mit dem letzteren ein durch die Ergebnisse der Aufklärung und die Entwicklung der Naturwissenschaften und ihre Weltdeutung bestimmtes gemeint. Unbestreitbar ist, daß totale, auch magisch gefüllte Wirklichkeitsvorstellungen weiterleben. Beispiele liefern vor allem politische Heilslehren, die eine Veränderung von Grund auf verheißen. Doch kann hierauf an dieser Stelle nicht eingegangen werden. Das Rabanus-Zitat stammt aus De universo XVIII, VIII, De musica, das des Johannes Scotus Eriugena aus Expositiones super Hierarchiam caelestem I, 1. Im fünften Kapitel stammt der Hinweis Humboldts über Einengung und Tiefe aus seinem Brief an Caroline vom 24. Dezember 1808, zitiert nach dem dritten Band des Briefwechsels, herausgegeben von Anna von Sydow, Berlin 1909, S. 50. Die Praefatio aus der Ordinatio imperii in Capitularia I, S. 271, Karl wurde aus den Epistola generalis zitiert. Zum sechsten Kapitel ist noch einmal zu betonen: wenn wir auch in Rabanus einen »Mann des fruchtbaren Widerspruchs« sehen, dann zielt dies nach allem Gesagten auf die von ihm vertretene Humanität angesichts der Barbarei. Die Erörterung, ob er im Einzelnen hierbei schöpferisch war, ist typisch modern und verkennt doch gerade seine Einstellung. Die Zitate des siebten Kapitels wurden entnommen: Giambattista Vico, Die neue Wissenschaft über die gemeinschaftliche Natur der Völker, nach der Ausgabe von 1744, Rowohlt Klassiker 196/197, 1966, S. 51 f, Dionysios Areopagita, Mystische Theologie und andere Schriften, München-Planegg (o. J.), S. 52, Carl Friedrich von Weizsäcker, Deutlichkeit, München 2 1979, S. 179 f.

Der Name Rabanus

Der Name des Rabanus Maurus geht in seiner latinisierten Form nach Ausweis verschiedener Urkunden (u. a. UB Kl. Fulda I nr. 177) in seinem ersten Teil mit Sicherheit auf die germanische Form Hraban zurück, während der zweite Teil seinem Lieblingsschüler von Alkuin verliehen wurde. Hraban, auch hram sind althochdeutsch und bedeuten »Rabe«. Damit führt uns der Name in die Welt der germanischen Mythologie, denn neben anderen Attributen, die ihn mit dem Krieg in Beziehung brachten, ist der Rabe das begleitende Attribut für Wotan/Odin. Der Rabe, der sich auch auf dem Schlachtfeld nährt, gehört zu dem Gott, der als der Gott des Krieges angesehen wurde. Nicht selten wird Wotan ja auch als »Raban-Ase« bezeichnet. Der Rabe aber ist zugleich Sinnbild des mordenden Kriegers. Nach einem Bericht Snorris hatte Wotan sogar immer zwei Raben bei sich, die Hugin und Munin hießen und ihm alles meldeten, was auf der Erde vorging. Es gibt aus der Kunst der Völkerwanderungszeit tatsächlich eine ganze Reihe von Darstellungen, die einen speertragenden Reiter (Wotan) umflattert von zwei Raben zeigen und zahlreiche Schmuckstücke, die ebenfalls einen, meist rückwärtsblickenden Raben zeigen (vergl. auch die in der Ausstellung gezeigten Stücke). Wenn wir es bei derartigen Darstellungen nicht mit dem Abbild irgend eines Helden zu tun haben, was unwahrscheinlich ist, da diese Kunst das individuelle Bild so gut wie nicht kennt, kann es sich bei solchen Darstellungen nur um das Bild Wotans oder zumindest das seines Begleitattributs handeln.

Wie tief verwurzelt diese Vorstellung in der germanischen Welt war, zeigt nicht zuletzt die Darstellung auf einem Schrankenrelief aus Gondorf an der Mosel: das Bildnis eines Mannes mit einem Buch in der Hand, auf dessen Schultern zwei Vögel (Raben?) sitzen. (Siehe Foto in der Ausstellung.) Dieses sicher schon in christlichem Sinne zu interpretierende Werk zeigt deutlich das Verschmelzen germanisch/heidnischen Gedankengutes mit Werten der christlichen Welt, aus der sich die Gleichsetzung Wotans, der durch seine Raben »Hugin = Geist« und »Munin = Gedächtnis« zum allwissenden Gott wird, mit Christus erkennen läßt.

Diese mythologische Bedeutung des Raben war noch im 8. und 9. Jahrhundert wohlbekannt und auch durch die Heldenlieder immer weiter überliefert. So kennt z. B. das Lied von Dietrich von Bern (Theoderich?), das Karl der Große besonders schätzte, die Sage einer »Rabenschlacht«, eines Kampfes der Raben untereinander, in dem sich auch die Schlacht der Menschen entscheidet.

Vor diesem Hintergrund ist es nicht verwunderlich, daß der Name Rabanus = Rabe im germanisch/fränkischen Bereich besonders beliebt war, trägt er doch – wenn auch schon im christlich übertragenen Sinne – eine Bindung an das Himmlische, das Göttliche in sich. Gerade in der Familie des Rabanus Maurus taucht dieser Name besonders oft und in verschiedenen Varianten auf, wobei besonders interessant ist, daß auch in der Namenkombination häufig der ursprünglich kriegerische Charakter sichtbar wird:

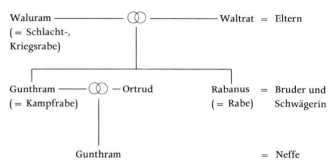

So zeigt sich auch in der Betrachtung zum Namen des Rabanus Maurus das für seine Zeit so typische Zusammenfließen altüberlieferter – hier germanischer – Traditionen mit christlichen Elementen und das daraus erwachsene Neue der karolingischen Zeit. (W.S.)

Lit.: R. L. M. Derolez, Götter und Mythen der Germanen, Wiesbaden 1976, S. 86 ff; F. Behn, Römertum und Völkerwanderung, Stuttgart 1963, Taf. 68; H. Kühn, Germanische Kunst der Völkerwanderungszeit, München 1956; Fr. von der Leyen, Das Heldenliederbuch Karls des Großen, München 1954, S. 55 ff; W. Baetke, Die Götterlehre der Snorra-Edda, in: Ber. ü. d. Verhandlungen der sächs. Akad. d. Wiss., Phil.-Hist. Klasse 97, 3, Berlin 1952; die Zusammenstellung des Stammbaums besorgte F. Staab.

Der Lebenslauf des Rabanus Maurus

780
Rabanus wird in Mainz geboren. Seine Eltern sind Waluram und Waltrat. Sie entstammen dem fränkischen Adel.
788
Rabanus tritt auf Wunsch seiner Eltern in das Kloster Fulda ein. Die Eltern vermachen dem Kloster ihren Besitz in Mainz.
798/99
Rabanus weilt am Hofe Karls des Großen. Er erhält dort seine erste Unterweisung durch Alkuin.
801
Rabanus wird im Kloster Fulda zum Diakon geweiht und übernimmt die Leitung der dortigen Klosterschule.
802/03
Rabanus und sein Mitschüler Hatto studieren in Tours unter Alkuin die freien Künste. Alkuin nennt seinen Lieblingsschüler in Nachahmung Benedikts von Nursia RABANUS MAURUS.
814
Rabanus wird zum Priester geweiht.
822
Rabanus wird zum Abt des Klosters Fulda gewählt. In dieser Funktion wird er in die Auseinandersetzung Ludwigs des Frommen mit seinen Söhnen verwickelt.
828
Rabanus begleitet Ludwig den Deutschen auf dessen Feldzug gegen die Bulgaren.

840
Rabanus befindet sich im Gefolge Ludwigs des Frommen bei dessen Strafexpedition gegen Ludwig den Deutschen.
841
Rabanus ist im Gefolge Lothars I. in Aachen und in Mainz. Auf Grund der politischen Entwicklung resigniert er als Abt von Fulda, übergibt dieses Amt an seinen Freund Hatto und lebt selbst zurückgezogen auf dem Petersberg bei Fulda.
843/845
Rabanus trifft mit Ludwig dem Deutschen in Rasdorf zusammen.
847
Ludwig der Deutsche beruft Rabanus als fünften Nachfolger des Bonifatius zum Erzbischof von Mainz. Reichssynode von Mainz.
848
Synode in Mainz. Ludwig der Deutsche söhnt Rabanus mit einigen seiner Vasallen aus.
850
Rabanus speist während einer Hungersnot täglich 300 Arme und Bedürftige in Winkel im Rheingau.
852
Reichssynode in Mainz.
856
Am 4. Februar stirbt Rabanus und wird im Kloster St. Alban in Mainz beigesetzt.

Das Itinerar des Rabanus Maurus

seit	788	in Fulda
	791	am 15. September Zusammentreffen mit Vater und Bruder in Fulda
	798/99	am Hofe Karls des Großen in Aachen, erste Lehre bei Alkuin
	801	am 6. Juni Zusammentreffen mit Vater und Bruder in Fulda
	802/03	als Schüler Alkuins in Tours
seit	822	Abt in Fulda
	828	Teilnahme am Bulgarenfeldzug Ludwigs des Deutschen
	829	im Juni in Mainz, Teilnahme an einer Synode
	829	im Sommer in Worms, Teilnahme am Reichstag
	831	am 1. Mai in Prüm
	831	am 8. Juni in Ingelheim bei Kaiser Ludwig dem Frommen
	834	am 5. Februar in Frankfurt bei Ludwig dem Deutschen
	835	am 4. März in Diedenhofen bei Ludwig dem Frommen
	836	am 4. Februar in Aachen bei Kaiser Ludwig dem Frommen
	836	vom 24. April bis zum 15. Mai Reise zur Einholung von Reliquien aus Rom: Fulda – Solnhofen – Holzkirchen/Ufr. – Herrieden – Hammelburg – Fulda
	838	im Juni in Nimwegen bei Kaiser Ludwig dem Frommen
	838	am 25. Oktober in Holzkirchen/Ufr.
	839	am 17. Februar in Frankfurt bei Kaiser Ludwig dem Frommen
	839	am 27. Februar in Frankfurt bei Kaiser Ludwig dem Frommen
	840	im März im Lahngau bei Kaiser Ludwig dem Frommen
	840	am 6. Mai in Salz an der Saale bei Kaiser Ludwig dem Frommen
	841	am 31. Juli in Aachen bei Kaiser Lothar I.
	841	am 20. August in Mainz bei Kaiser Lothar I.
seit	842	nach Resignation auf dem Petersberg bei Fulda
	844	Zusammentreffen mit Ludwig dem Deutschen in Rasdorf bei Hünfeld
seit	847	Erzbischof in Mainz
	849	am 6. Juni in Trebur bei Ludwig dem Deutschen
	850	Speisung der Hungernden in Winkel im Rheingau
	850	am 28. Oktober in Hersfeld, Weihe der Abteikirche
	852	am 1. September in Frankfurt, Weihe der Pfalzkapelle

Zur Gliederung der Ausstellung

Über die Aufgabenstellung einer Ausstellung, die es sich zum Inhalt gemacht hat, den Versuch einer Würdigung der Person, des Lebens und des Werkes von Rabanus Maurus zu unternehmen, ist das Grundsätzliche bereits im einleitenden Beitrag von W. Bickel »Rabanus Maurus 780–1980, Überlegungen zu einer Ausstellung« dargelegt worden. Dennoch erscheint es angebracht, dem Besucher – und auch dem späteren Leser dieser Schrift – einige erläuternde Bemerkungen mit auf den Weg zu geben.
Die Ausstellung gliedert sich in 9 Bereiche, mit denen versucht wird, Zeit und Umwelt des Rabanus Maurus, die Dinge des täglichen Lebens und die großen geistigen und politischen Strömungen, die Aufnahme und Verarbeitung überkommener Traditionen und die aus der Synthese dieser Traditionen mit neuen Elementen aufkeimenden Grundlagen des christlichen Abendlandes sichtbar zu machen, ohne daß dabei der Anspruch auf Vollständigkeit oder Endgültigkeit erhoben werden kann. Diesen Versuch zu unternehmen, wäre mehr als vermessen.

In den neun Bereichen der Ausstellung werden erfaßt:
I. Die Adelswelt
II. Das benediktinische Mönchstum
III. Die Königsherrschaft
IV. Die karolingische Renovatio
V. Das Wirtschaftsleben
VI. Der Abt
VII. Der Bischof
VIII. Der Lebenshorizont – die geistige Welt
IX. Das Weiterleben

Mit dieser Unterteilung sind mit den Bereichen I.–III. zunächst einmal die Kreise erfaßt, in die hinein Rabanus Maurus geboren wurde und die ihn unmittelbar geprägt haben: seine Herkunft aus einem, nach den Besitzverhältnissen zu schließen, nicht unbedeutenden Adelshaus, aus dem Angehörige immerhin bis zur bedeuten-

den Stellung eines Gaugrafen aufsteigen konnten; seine Einbettung in die Welt, die Gedanken und Ideale des benediktinischen Mönchtums, dem er von früher Jugend an durch das Gelöbnis seiner Eltern verbunden war und in dessen geistiger und kultureller Leistung er gerade im Raum des Mittelrheins eine der herausragenden Persönlichkeiten werden sollte; seine enge Bindung an das karolingische Königtum, dem er als Abt und als Erzbischof auf das tiefste verbunden war, ohne daß die Erschütterungen dieses Königtums nach dem Tode Karls des Großen auch an ihm spurlos vorübergehen konnten. Seine Stellung zu Ludwig dem Frommen und zu dessen Söhnen im Streit um das Erbe des großen Karl verdeutlicht das sehr klar, obwohl er sich immer seine Eigenständigkeit bewahren konnte.
Die Bereiche IV. und V. dagegen verdeutlichen einmal die geistigen, künstlerischen und kulturgeschichtlichen und vor allem auch die wirtschaftlichen und damit auch die sozialen Hintergründe, vor denen sich das Leben dieses Mannes abspielen mußte, ohne daß dabei die Möglichkeit eines »Ausbrechens« bestanden hätte. Das, was in der karolingischen Renovatio an geistigen und kulturellen Werten geschaffen und gestaltet wurde, war zu sehr mit Königtum und mit Kirche verbunden, als daß ein so exponierter Vertreter sich diesen Gegebenheiten hätte entziehen können und mit den wirtschaftlichen und sozialen Zwängen seiner Zeit war Rabanus Maurus sowohl als Abt wie auch als Erzbischof mehr als eng verbunden und konnte nur aus den Gegebenheiten heraus handeln.
Die Bereiche VI. und VII. dagegen sind den Ämtern gewidmet, die Rabanus Maurus innehatte: dem Abt des in seiner Zeit und weit darüber hinaus berühmten Klosters Fulda, jener Gründung des für »Germanien« so bedeutenden Bonifatius, der ebenso wie Rabanus Maurus Abt von Fulda und Erzbischof von Mainz war, und dann dem Erzbischof, der mit seiner Berufung auf den Stuhl von Mainz sich in die Reihe der Nachfolger dieses

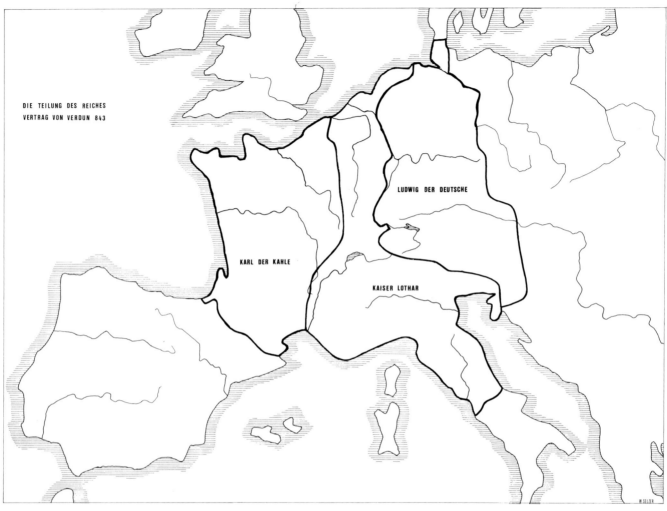

Das karolingische Reich nach der Teilung von 843 im Vertrag von Verdun.

Bonifatius einreihte und trotz seines damals schon relativ hohen Alters dieses Amt mit Umsicht und Erfolg verwaltete.

Daß aber Abtwürde und erzbischöfliches Amt dem großen Gelehrten Rabanus, dem Schüler Alkuins und dem Lehrer späterer bedeutender Männer, noch Zeit und Möglichkeit ließen, Großartiges im Bereich der Wissenschaft, der Liturgie, der Buchkunst und der Literatur zu schaffen, sich einen »Lebenshorizont« weit über die

Grenzen des im 9. Jahrhundert »Normalen« zu bilden, das versucht der Bereich VIII. der Ausstellung anzudeuten. Hier offenbart sich in Streiflichtern das Werk des Mannes, dem der Ehrentitel »Praeceptor Germaniae« zuteil wurde. Sein Wirken und Nachwirken bis in unsere Zeit hinein rechtfertigt diesen Titel.

Warum das so ist, welche Urteile und Meinungen diese Behauptung untermauern, das versucht der Bereich IX. aufzuzeigen, der dem Weiterleben, der Nachwirkung, der bleibenden Leistung des Rabanus Maurus gewidmet ist.

Kurze zusammenfassende Texte zum Grundsätzlichen, Urkunden, Nachrichten, die auch weitgehend in die Schrift aufgenommen wurden, erläuternde Einzeldarstellungen, Karten, Pläne, Großfotos und Objekte versuchen in den einzelnen Bereichen den ausstellungstechnischen Anspruch und die Aussage zum jeweiligen Thema zu veranschaulichen, wobei mit voller Absicht in weiten Bereichen auf die Präsentation von Originalen – die an sich schon selten sind im Zusammenhang mit dem Thema – verzichtet wird. Vielmehr soll versucht werden, mit didaktischen Mitteln dem Besucher Aufgabe und Aussage der Ausstellung nahe zu bringen. Daß es sich hierbei auch im musealen Sinne um Neuland, um einen Versuch handelt, war den Verantwortlichen von Anfang an klar, hat sie aber nicht gehindert, diesen Versuch zu wagen. (W.S.)

Kriegerbilder aus
dem »Goldenen Psal-
ter«, 9. Jahrhundert,
Stiftsbibliothek
St. Gallen

Die Adelswelt

Christentum und Adelsherrschaft scheinen uns heute einander zu widersprechen, und doch versuchte das frühe Mittelalter, beides zu vereinen. Die vielberufene konstantinische Wende hatte den Glauben der Märtyrer zur Religion des römischen Staates und damit auch zu der des in ihm tonangebenden senatorischen Adels werden lassen. In der Völkerwanderungszeit, als das Reich im Westen zusammenbrach, wurde die kirchliche Hierarchie zum rettenden Hafen der römischen Oberschicht, denn, wer als hoher Staatsbeamter standesgemäß überleben, und nicht von einem Barbarenhäuptling seines Dienstes enthoben und verjagt werden wollte, kandidierte für einen freien Bischofssitz. Im 6. Jahrhundert waren dann fast alle Bistümer des jungen fränkischen Reiches in den Händen von Nachkommen senatorischer Familien, und erst allmählich fanden auch die Franken Zugang zu hohen kirchlichen Ämtern. Aber, es war inzwischen selbstverständlich geworden, daß nur Adlige dafür in Frage kamen. Obgleich seit der Taufe Chlodwigs 496/97 die Franken grundsätzlich Christen waren, blieb ihr Lebensgefühl bis in die Karolingerzeit noch stark vom Heidentum bestimmt. Der fränkische Adel, dessen Abgrenzung zum Freienstand etwas fließend war, hatte die Vorstellung von der angeborenen Überlegenheit über die übrigen Stände (Halbfreie und Hörige), das standeseigentümliche Recht der Herrschaft über andere und der Ausübung staatlicher Hoheitsfunktionen, das durch die Verleihung von Gütern und Ämtern von seiten des Königs wirksam wurde. Der Adlige sollte reich, freigebig, gewandt, in geistlichen und weltlichen Ämtern tüchtig und im Krieg tapfer, ja draufgängerisch sein. Nach Meinung Thegans, des Biographen Ludwigs des Frommen, sollte jemand aus niedrigem Stand auch nicht Bischof werden, da seine Schlechtigkeit jedenfalls die möglicherweise vorhandene Gelehrsamkeit überwiege, und die Bevölkerung keine Achtung vor ihm habe. Die Familie Rabanus' war betont christlich. Seine Eltern gehörten zu den Wohltätern der Abtei Fulda, sein Bruder stiftete auch für Lorsch. Die Besitzkarte kann nur das wiedergeben, was die Familie für religiöse Zwecke verschenkt hat, keineswegs das ganze Liegenschaftsvermögen. Die Tradition des Raben-Namens wurzelt dagegen im Heidnischen. Raben waren die Begleiter Wotans in der Schlacht, Raben fraßen die Toten auf der Walstatt. Der Rabe war daher ein Sinnbild des mordenden Kriegers. Die Begeisterung des fränkischen Adels für den Krieg ist uns im Grunde genauso schwer verständlich wie das Kriegerethos der nordamerikanischen Indianer des 19. Jahrhunderts. Rabanus fertigte vom Militärhandbuch des Römers Vegetius eine Bearbeitung an, um den Ausbildungsstand des fränkischen Heeres zu heben. Sein Schüler Otfrid von Weißenburg sah in der Waffengewandtheit der Franken ein wesentliches Kriterium der kulturellen und zivilisatorischen Gleichwertigkeit der Franken mit Griechen und Römern, von der er wiederum die Berechtigung ableitete, seine Evangeliendichtung in fränkischer (althochdeutscher) Sprache zu verfassen. (F. St.)

Lit.: F. Prinz, Klerus und Krieg im frühen Mittelalter. Untersuchungen zur Rolle der Kirche beim Aufbau der Königsherrschaft. Stuttgart 1971.
P. Riché, La vie quotidienne dans l'empire carolingien. Paris 1973.
F. Staab, Untersuchungen zur Gesellschaft am Mittelrhein in der Karolingerzeit. Wiesbaden 1975.
W. Störmer, Früher Adel. Studien zur politischen Führungsschicht im fränkisch-deutschen Reich vom 8. bis 11. Jahrhundert, 1–2. Stuttgart 1973.
G. Scheibelreiter, Tiernamen und Wappenwesen. Wien, Köln, Graz 1976.

ET SYRIAM SOBAL · ET CONVERTIT
IOAB · ET PERCVSSIT EDOM INVAL
LE SALINARVM · XII MILIA ·

Kriegerbilder aus dem »Goldenen Psalter«, Stiftsbibliothek St. Gallen

Das Dorf

Sitz des Grundherrn und Lebensraum der Bauern

Das fränkische Dorf bildet sich fast immer um eine erste Hofanlage, die meist Sitz des Grundherren ist. Ein in Sichtweite liegender Wachturm, oft zugleich befestigte Fluchtanlage für die Dorfbewohner, leichte Hanglage und die Nähe eines Baches sind typische Merkmale bis weit über die karolingische Zeit hinaus. Rundum erstreckten sich die Felder und Weiden. Der größte Teil des Ackerlandes gehörte zwar dem Grundherren, jedoch war auch dem einzelnen Bauern ein Feld zugewiesen, auf dem er eigenes Korn anbauen konnte. Außerdem hatte er als Grundhöriger ein kleines eingezäuntes Grundstück mit strohgedecktem Holz- oder Fachwerkhaus. Hier hatte er auch einen Gemüsegarten und wenn er nicht all zu arm war, konnte er sich einen Ochsen, Schweine und Hühner halten. Das Haus des Grundherren lag etwas abseits und war ein größerer, meist solider Steinbau, in dessen Erdgeschoß das Vorratslager war, während im Obergeschoß Wohn- und Schlafgelegenheiten untergebracht waren. Scheunen, Stallungen und eine Palisade oder auch eine Steinmauer umgaben das Haus des Grundherrn.

Mittelpunkt des Dorfes aber war die Kirche mit dem davor liegenden freien Platz, der zugleich auch Versammlungs- und Gerichtsort war. In vielen Dörfern war die Kirche oft der einzige steinerne Bau und übernahm dann auch die Funktion eines Zufluchtortes in kriegerischen Zeiten.

Die nachfolgenden Urkunden sollen im Rahmen der Betrachtung zur »Adelswelt«, aus der Rabanus Maurus ja kommt, Aufschluß geben, einmal über den Vorgang einer Schenkung der Eltern Rabanus' an das Kloster Fulda und zum anderen über die »Opfergabe«, die mit der Überstellung des jungen, wohl erst 8- oder höchstens 12jährigen Rabanus als »puer oblatus« an das Kloster verbunden war. Sie stellt praktisch die Morgengabe für den Eintritt des Knaben in das Kloster dar.

Weiterhin soll in der Dokumentation der Schenkungen der Eltern Rabanus' und seines Bruders Guntram Einblick gewährt werden in die Besitzverteilung einer Adelsfamilie am Ende des 8. Jahrhunderts, in die Art, wie dieser Besitz als Schenkung an ein bedeutendes Kloster ging und von dort als »Prekarie« = Nutzungsberechtigung auf Lebenszeit, an den ehemaligen Besitzer zurückging und wie dieser Besitz, wohl auf Grund besonderer Verdienste, durch weitere Prekarieen, die nicht aus geschenktem Besitz der Familie stammten, erweitert wurde. Entsprechendes Kartenmaterial in der Ausstellung, sowie Hörigenlisten vervollständigen das Bild einer Grundherrschaft, wie sie Grundlage der gesamten gesellschaftlichen Struktur der Zeit des Rabanus Maurus war. Erläuternd darf dabei aber darauf hingewiesen werden, daß dieses Bild durchaus nicht der Realität zu entsprechen braucht, da es nur den urkundlich und quellenmäßig überlieferten Bestand widerspiegeln kann.

(W.S.)

IN NOMINE PATRIS ET FILI ET SPIRITUS SANCTI

Licet parva et exigua sunt, que pro immensis peccatis et debitis offerimus, tamen pius dominus noster Iesus Christus non quantitatem muneris sed devotionem animi perspicit offerentis.

Ideoque ego Uualuramnus et coniux mea Uualtrat sana mente sanoque consilio pro malis peccatis nostris, ut in futuro veniam aliquam promerire mereamur, donamus ad ecclesiam sancti Bonifatii, que constructa super fluvium Fulda, ubi ipse martyr sanctus Bonifatius sacro requi escit corpore et ubi Baugulfus abba preesse videtur, hoc est intus muro civitatis Mogontiae aream unam cum casa et cum omni aedifico, in qua nos commanere videamur, quod est de tribus partibus strata publica, quarta parte Zotani, ea vero ratione ut, dum ego Uualuramnus et coniux mea Uualtrat et filius noster Hrabanus, qui alium supervixerit, habeamus et post obitum nostrum supradicta ecclesia sancti Bonifatii vel custores illius habendi,

»Die zwölf Monatsarbeiten« 1. Viertel 9. Jahrhundert. Sammelband chronologischer und astronomischer Handschriften (Salzburg). Österr. Nat. Bibl.

donandi, vendendi vel quicquid exinde facere voluerint, liberam ac firmissimam in omnibus habeant potestatem.

Sic quis vero, quod fieri non credo, si nos ipsi aut aliquis de heredibus nostris, qui contra hanc kartulam donationis venire temptaverit, iram dei et omnium sanctorum incurrat et insuper inferat fisci dicionibus auri uncias II, argenti pondera IIII coactus exsolvat, et tamen donatio hec omni tempore firma et stabilis permaneat.

Facta donatio haec sub die VIII. kl. iun. anno XX. regnante domno nostro Karolo glorioso rege.

+ Signum Uualurammi et coniugis eius Uualtrata, qui hanc donationem fieri rogaverunt. + Hrabani. + Gundrammi. + Meginratae. + Hattoni comitis. + Gebahardi. + Uuargeri. + Megingozi. + Muotharii. + Adalprahti. + Adalfrid +.

Ego Uuelimannus rogatus scripsi et notavi diem et tempus quo supra.

Schenkung der Eltern mit Vorbehalt des Niessbrauchs
(25. Mai 788)

Im Namen des Vaters und des Sohnes und des Heiligen Geistes.

Wohl ist es gering und unansehnlich, was wir für unsere große Sünde und Schuld darbringen, dennoch sieht unser getreuer Herr, Jesus Christus, nicht auf die Größe der Gabe, sondern auf die Hingebung dessen, der sie darbringt.

Daher gebe ich, Waluram, und meine Frau Waltrat bei gesundem Verstand und mit vernünftigem Entschluß für unsere bösen Sünden, damit wir im zukünftigen Leben etwas Vergeltung erhalten möchten, der Kirche des Hl. Bonifatius, die über dem Fluß Fulda erbaut ist, in der er selbst dem geheiligten Leib nach ruht, und die der Abt Baugulf bekanntermaßen leitet, das ist innerhalb der Mauer der Stadt Mainz eine Hofreite mit Haus und allen Aufbauten, in dem wir bekanntermaßen wohnen (an drei Seiten liegt eine öffentliche Straße, an der vierten das Grundstück des Zotan), dergestalt, daß ich Waluram und meine Frau Waltrat und unser Sohn Hraban, wer von uns den anderen überlebt, es haben soll, und daß nach unserem Tod die obengenannte Kirche des Hl. Bonifatius beziehungsweise ihr Leiter in jeder Hinsicht die freie und

unverbrüchliche Gewalt haben, es zu behalten, zu verschenken, zu verkaufen oder was immer sie damit tun wollen.

Wenn aber jemand, oder (was ich nicht glaube, daß es geschieht) wenn wir selbst oder jemand von unseren Erben gegen diese Schenkungsurkunde sollte versuchen vorzugehen, so verfalle er dem Zorn Gottes und aller Heiligen, und er sei gezwungen, der Staatsgewalt zwei Unzen Gold (vier Pfund Silber) zu bezahlen, und dennoch bleibe diese Schenkung zu jeder Zeit fest und unverbrüchlich.

Diese Schenkung wurde vollzogen am achten Tag vor den Kalenden des Juni, im zwanzigsten Jahr der Regierung unseres Herrn Karl, des ruhmvollen Königs.

+ Zeichen des Waluram und seiner Frau Waltrat, die beantragten, diese Urkunde auszustellen. + Hrabans. + Gundrams. + Meginratas. + des Grafen Hatto. + Gebahards. + Wargers. + Megingozes. + Muotharis. + Adalprahts. + Adalfrids +. Ich, Weliman, habe auf Antrag geschrieben und den Tag und die Zeit aufgezeichnet wie oben.

(UB Kl. Fulda I nr. 177)

IN NOMINE PATRIS ET FILII ET SPIRITUS SANCTI

Licet parva et exigua sunt, que pro inmensis peccatis et debitis offerimus tamen pius dominus noster Iesus Christus non quantitatem muneris sed devotionem animi perspicis offerentis.

Ideoque ego Uualuramnus et coniux mea Uualtrat sana mente sanoque consilio pro malis peccatis nostris, ut in futurrum veniam aliquam promerire mereamur, donamus ad ecclesiam sancti Bonifatii, ubi ipse requiescit corpore sacro et ubi Baugulfus abbas preesse videtur, hoc est quod donamus in pago Uuromacinsae in villa, que dicitur Truthmaresheim, quicquid Uualtrat ibi videtur habere, cum areis, terris araturiis, vineis, campis, silvis, aquis aquarumque decursibus, ita tamen, ut ab hac die presente habendi, donandi, vendendi vel quicquid exinde facere volueritis, liberam ac firmissimam in omnibus habeatis potestatem.

Si quis vero, quod fieri non credo, si ego ipse aut aliquis de heredibus meis vel proheredibus seu quislibet ulla opposita persona, qui contra hanc donationem venire temptaverit, iram dei incurrat et omnium sanctorum et insuper inferat fisci dicionibus auri uncias II, argenti pondera IIII coactus exsolvat et, quod repetit, evindicare non valeat, sed presens donatio haec omni tempore firma et stabilis permaneat.

Facta donatio haec sub die VIII. kl. iun. anno vicesimo regnante domno nostro Carolo glorioso rege.

+ Signum Uualurammi et coniugis eius Uualtratae, qui hanc donationem fieri rogaverunt. + Hrabani. + Gundrammi. + Hattoni comitis. + Gebahardi. + Uuargeri. + Megingozi. + Vodolprahti. + Muotharii. + Adalfridi.

(vier Pfund Silber) zu bezahlen, und was er fordert soll er vor Gericht nicht erstreiten können, sondern diese Schenkung bleibe zu jeder Zeit fest und unverbrüchlich. Diese Schenkung wurde vollzogen am achten Tag vor den Kalenden des Juni, im zwanzigsten Jahr der Regierung unseres Herrn Karl, des ruhmvollen Königs. + Zeichen Walurams und seiner Frau Waltrat, die beantragten, diese Schenkungsurkunde auszustellen. + Hrabans. + Gundrams. + des Grafen Hatto. + Gebahards. + Wargers. + Megingozes. + Volbrahts. + Muotharis. + Adalfrids + .

(UB Kl. Fulda 1 nr. 178)

URKUNDE ÜBER DIE OPFERGABE DER ELTERN
DES RABANUS
(25. Mai 788)

Im Namen des Vaters und des Sohnes und des Heiligen Geistes.

Wohl ist es gering und unansehnlich, was wir für unsere große Sünde und Schuld darbringen, dennoch sieht unser getreuer Herr, Jesus Christus, nicht auf die Größe der Gabe, sondern auf die Hingebung dessen, der sie darbringt.

Daher gebe ich, Waluram, und meine Frau Waltrat bei gesundem Verstand und mit vernünftigem Entschluß für unsere bösen Sünden, damit wir im zukünftigen Leben etwas Vergebung erhalten möchten, der Kirche des Hl. Bonifatius, in der er selbst dem geheiligten Leib nach ruht, und die Abt Baugulf leitet. Das ist es, was wir geben: im Wormsgau, in dem Dorf, das Dromersheim genannt wird, das was Waltrat dort bekanntermaßen hat, mit Hofreiten, Ackerland, Weinbergen, Feldern, Wald, Wasser und Wasserläufen, dergestalt, daß Ihr vom heutigen Tag an in jeder Hinsicht die freie und unverbrüchliche Gewalt habt, es zu behalten, zu verschenken, zu verkaufen oder was immer Ihr damit tun wollt.

Wenn aber jemand, oder (was ich nicht glaube, daß es geschieht) wenn ich selbst oder jemand von meinen Erben oder Nacherben irgendeine gegnerische Person gegen diese Schenkung versuchen sollte vorzugehen, so verfalle er dem Zorn Gottes und aller Heiligen, und er sei gezwungen, außerdem der Staatsgewalt zwei Unzen Gold

SCHENKUNGEN DER ELTERN RABANUS'

Dienheim
1 Hofreite mit Zubehör

Dromersheim
nicht näher beschriebener Besitz

Mainz
1 Hofreite mit dem Wohnhaus der Familie und eine weitere Hofreite
Philippshospital (bei Goddelau)
Kirche mit Kirchenschatz (Reliquiare, Reliquien, Kreuze), Hofreiten Wiesen, 1 Gestüt mit 21 Stuten und 1 Hengst, Weinberge in Oppenheim.
Als Hörige werden genannt:
Uuillidrud mit 2 Kindern
Mohha mit 4 Kindern
Hitta mit 4 Kindern
Uuetta mit 3 Kindern
Theotuuin mit Frau Rihsuuind und 3 Kindern
Uuillisuuind mit 3 Kindern

Rudelsheim (bei Dienheim)
1 Hofreite mit Zubehör

(Die kursiv gesetzten Anteile haben die Stifter als Prekarie zurückerhalten)

Dienheim
4 Weinberge, außerdem nicht näher beschriebener Besitz
Flonheim
1 Hofreite, 15 Joch Ackerland, 1 Weinberg
Kirn
nicht näher beschriebener Besitz
Lonsheim
3 Hofreiten mit ebensoviel Hufen und 1 Rodung
Mainz
⅓ einer Hofreite, 1 weitere Hofreite, 12 Joch Ackerland, 1 Wiese und weiterer nicht näher beschriebener Besitz
Mittelbuchen
1 Hofreite, 102 Joch Ackerland, Wiesen, Weinberge, 2 nicht namentlich bekannte Hörige
Münsterappel
1 Hofreite mit Rodung
Oppenheim
nicht näher beschriebener Besitz
Pfungstadt
2 Hufen
Philippshospital (bei Goddelau)
nicht näher beschriebener Anteil
Rhaunen
nicht näher beschriebener Besitz
Rohrbach (bei Wartenberg)
nicht näher beschriebener Besitz

Schallodenbach
nicht näher beschriebener Besitz
Simmern unter Dhaun
2 Hofreiten mit Rodung, nicht näher beschriebener Besitz
Stein-Bockenheim
nicht näher beschriebener Besitz
Wendelsheim
nicht näher beschriebener Besitz

(Die kursiv gesetzten Anteile erhielt der Stifter als Prekarie zurück)

AN DEN FOLGENDEN ORTEN ERHIELT RABANUS' BRUDER GUNTRAM PREKARIEN AUS DEM BESITZ DES KLOSTERS FULDA, DIE NICHT AUS EIGENEN SCHENKUNGEN STAMMEN

Deidesheim
nicht näher beschriebener Besitz
Friedelsheim
nicht näher beschriebener Besitz
Fußgönheim
nicht näher beschriebener Besitz
Saulheim
nicht näher beschriebener Besitz
Sulzheim
nicht näher beschriebener Besitz

Michaels-Kirche in
Fulda, Innenansicht
des Zentralbaues.
Foto Marburg

Das benediktinische Mönchtum

Die Zeit des frühen Mittelalters ist geprägt vom benediktinischen Mönchtum. In ihm hatte das klösterliche Leben im Bereich der Westkirche eine feste Form gefunden, die es von allen älteren Gemeinschaften unterschied und die mit der Zeit alle anderen Formen verdrängte. Grundlage bildete die Benediktsregel, die neben der Chorherrenregel Augustins die einzige abendländische Klosterregel vom 8. bis zum 13. Jahrhundert war. Drei Gelübde und drei Grundforderungen bildeten ihren harten Kern: die Gelübde der Beständigkeit, des klösterlichen Tugendwandels und des Gehorsams, die Grundforderungen Bete, Arbeite, Lies. Mit dem ersten Gelübde bindet sich der Mönch an sein Kloster, mit dem zweiten verzichtet er auf die Ehe und das persönliche Eigentum und verpflichtet sich zu einem regeltreuen monastischen Leben, im dritten unterwirft er sich den Anweisungen des Abtes. Die Grundforderungen weisen den Mönch auf seine Aufgaben hin, das Gebet – und das ist in der Frühzeit vor allem der Psalmengesang –, die Handarbeit im Kloster und auf dem Felde, wozu später zunehmend sich gesellten die Aufgaben in der Schreibstube, in der Schule, in der Verwaltung des Klosters, das Studium der Heiligen Schriften.

Durch die Regulierung und durch die Aufgabenstellung wurden die Benediktinerklöster zu Kulturzentren im weitesten Sinne. In ihnen werden die Kenntnisse des Landbaus, wie sie aus der Antike noch lebendig waren, gepflegt und weitergegeben, in ihnen wird die antike Literatur gesammelt, durch Abschreiben erhalten, in ihnen werden die Chroniken geführt. Und dies geschieht nicht nur für die Klostergemeinschaft, sondern wirkt durch die Klosterschulen in die Welt außerhalb der Klostermauern. Vollkommensten baulichen Ausdruck fand das benediktinische Mönchtum dieser Zeit im St. Galler Klosterplan, einem Idealplan, der auf der Reichenau entstand und in St. Gallen aufbewahrt wird. Alle Bedürfnisse und Aufgaben einer Klostergemeinschaft finden in ihm ihre angemessene bauliche Gestalt. (W.B.)

Grundzüge des benediktinischen Klosters

In dem dichten Nebeneinander verschiedenartigster Gebäude auf verhältnismäßig geringem Raum war das benediktinische Kloster der Frühzeit nicht nur ein Ort geistiger Zurückgezogenheit und Meditation, sondern vielmehr ein mit pulsierendem Leben erfülltes Gemeinwesen. Waren die Bauten bei der Gründung zunächst überwiegend in Holz und Fachwerk errichtet, so wurden sie durchweg sehr rasch durch Steinbauten ersetzt. Auf Grund seiner inneren Struktur konnte sich das Kloster fast immer selbst erhalten. In dem Nebeneinander von geistiger und körperlicher Arbeit war das Prinzip des »ora et labora« aus der Regel des Hl. Benedikt verwirklicht.

Das Zentrum mönchischen Lebens war die Klosterkirche. An ihrer Seite lag der Kreuzgang, als Raum für Meditation und Erholung der Mönche. Um ihn liegen das Dormitorium, das Refektorium und nicht selten Scriptorium und Bibliothek. Um einen zweiten Hof gruppiert sich der Bereich der Novizen und Laienbrüder. Küche und Bäckerei gehören ebenfalls noch zum inneren Bereich des Klosters, sowie auch das Haus des Abtes.

Im äußeren Bereich liegen die übrigen Bauten, wie Scheunen, Stallungen, Werkstätten, Lagerschuppen, Brauerei und Kellerei, sowie Hospital, Herberge und Latrinen. Der ganze Bereich des Klosters war mit einer oft auch zur Verteidigung eingerichteten Ringmauer umgeben.

Für die Verwirklichung dieser Grundprinzipien, die in großen Zügen schon in der Regel des Hl. Benedikt angedeutet sind, suchten benediktinische Mönche, Äbte und Baumeister immer wieder nach festen Richtlinien. Drei Beispiele, die im Auszug beigegeben sind, mögen das verdeutlichen:

1. »Aus dem Leben des hl. Philibert, Abt von Jumièges«, das Werk eines unbekannten Mönches.
2. »Aus der Geschichte der Äbte von Fontenelle«, wo der Bericht des Chronisten der Lebensgeschichte des Abtes Ansegis (822–833) beigefügt ist und dem eine Würdigung von Wolfgang Braunfels nachgestellt wird.
3. Auszüge aus den Erlassen der 1. Aachener Synode von 816 und der 2. Aachener Synode von 817. Die Ergebnisse dieser beiden Synoden dürften erstmals im sog. »St. Galler Klosterplan« zusammengefaßt sein, der nicht Bauplan im üblichen Sinne ist, sondern vielmehr das Idealbild des Klosters widerspiegelt, das allen geforderten Bedürfnissen gerecht wird. (W.S.)

Lit.: L. d'Achery / J. Mabillon, Vita S. Filiberti Abbatis Gemeticensis, auctore gemeticensi monacho anonymo, in: Acta SS. Ord. S. Benedicti, Saec. II., Paris 1969, S. 816 ff;
Gesta Ansisi abbatis Fontanellensis coenobii, ed. G. H. Pertz in Mon. Germ. Hist., Scriptores, Tom. II, Hannover 1829;
W. Braunfels, Abendländische Klosterbaukunst, DuMont Dokumente, Köln 1968, S. 41 ff;
Semmler, Corpus consuetudinum Monasticarum, I., Siegburg 1963, S. 451 ff und 469 ff;
(alle Zitate wurden übernommen aus: DuMont Dokumente: Reihe Kunstgeschichte/Wissenschaft, ISBN 3-7701-0294-0)

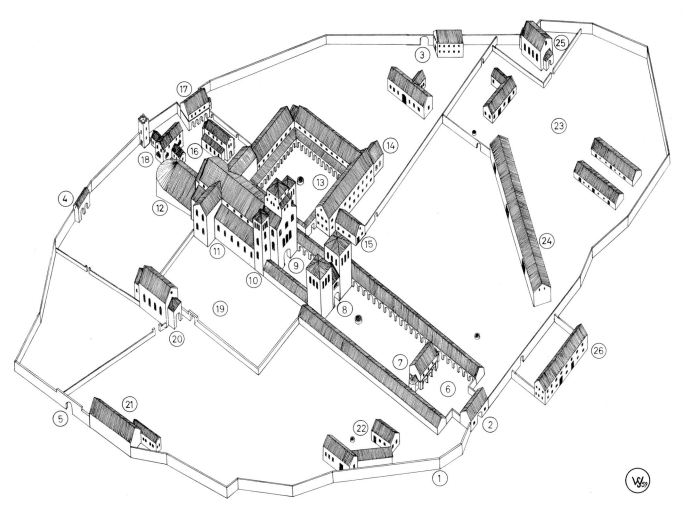

Das karolingische Reichskloster Lorsch. Rekonstruktion nach den Grabungsergebnissen, Bauzustand 8.–11. Jahrhundert

1 Ringmauer 2 Westtor 3 Südtor 4 Osttor 5 Nordtor 6 Atrium 7 Königshalle 8 Westbau 9 Paradies 10 Westwerk 11 Hauptkirche 12 Gruftkirche 13 Kreuzgang 14 Abtshaus 15 Küchenbau 16 Pfalzkapelle (?) 17 Südosttor 18 Pfalzbauten (?) 19 Friedhof 20 Afrakirche 21 Kellerei 22 Brauerei 23 Wirtschaftshof 24 Zehntscheune 25 Südkirche (?) 26 Herberge

Aus den Regeln des Heiligen Benedikt

DIE EIGENSCHAFTEN DES ABTES

Ein Abt, der würdig ist, ein Kloster zu leiten, muß immer den Titel bedenken, mit dem er angeredet wird, und muß der Bezeichnung »Oberer« durch seine Taten gerecht werden. Deshalb darf der Abt nichts lehren, bestimmen oder befehlen, was dem Gebot des Herrn widerspricht. Sein Befehl und seine Lehre sollen vielmehr wie ein Sauerteig der göttlichen Gerechtigkeit die Herzen der Jünger durchdringen. Wer also den Namen »Abt« annimmt, muß seinen Jüngern in doppelter Weise als Lehrer vorstehen: Er zeige mehr durch sein Beispiel als durch Worte, was gut und heilig ist; den gelehrigen Jüngern lege er die Gebote Gottes mit Worten dar, den Harten und Einfältigeren aber veranschauliche er den Willen Gottes durch sein Beispiel. Er soll im Kloster niemand bevorzugen. Er soll den einen nicht mehr lieben als den anderen, außer er fände an ihm mehr Tugend und Gehorsam. Der Freigeborene soll keinen Vorzug vor dem haben, der als Sklave eingetreten ist, außer es läge sonst ein vernünftiger Grund vor. Wenn der Abt es aber aus Gründen der Gerechtigkeit für angebracht hält, kann er auch sonst jedem einen höheren Rang zuweisen. Im übrigen behalte jeder den Platz, der ihm zukommt. Er soll wissen, wie schwer und mühevoll die Aufgabe ist, die er übernommen hat: Seelen zu leiten und der Eigenart vieler zu dienen.

VON DEN PFÖRTNERN DES KLOSTERS

. . . Der Pförtner habe seine Zelle neben der Pforte, damit jene, die ankommen, dort stets jemanden finden, der ihnen Bescheid geben kann. Sobald jemand anklopft oder ein Armer sich meldet, antworte er: »Gott sei Dank« oder »Segne mich« . . . Wenn immer möglich, soll das Kloster so angelegt sein, daß alles Notwendige, das heißt Wasser, Mühle, Garten und die Werkstätten, in denen die ver-

»Himmelfahrt Mariens« und »St. Gallus«, sog. Tutilo-Tafel, um 900, St. Gallen, Stiftsbibliothek

schiedenen Handwerke ausgeübt werden, innerhalb der Klostermauern sich befinde . . .

Sind Handwerker im Kloster, so sollen sie in aller Demut ihr Handwerk ausüben. Wenn einer von ihnen auf sein handwerkliches Können stolz ist, weil er sich einbildet, dem Kloster zu nützen, dann soll man ihn von diesem Handwerk wegnehmen und ihn erst wieder darin arbeiten lassen, wenn er sich demütig zeigt. Ist von den Arbeiten der Handwerker etwas zu verkaufen, dann dürfen sich jene, die den Handel abschließen, keinen Betrug erlauben. Sie sollen immer an Ananias und Saphira denken, damit sie nicht den Tod, der jene am Leib traf, an der Seele erleiden – sie selbst und alle, die mit den Sachen des Klosters unredlich umgehen.

Bei der Festsetzung des Preises darf sich nicht das Laster der Habsucht einschleichen. Man soll im Gegenteil immer etwas billiger verkaufen, als es Weltleute tun können, damit in allem Gott verherrlicht werde.

Aus dem Leben des hl. Philibert, Abt von Jumièges

Aber da ja vollendete Menschen immer das noch Vollendetere mit Eifer anstreben, begann der Priester des Herrn die Klöster der Heiligen zu bereisen, auf daß er irgend etwas von guter Wirkung für die Heiligkeit auf Grund einer Übernahme zu gewinnen vermöchte. Er besichtigte Luxeuil und Bobbio und andere Klöster, die unter der Regel des heiligen Columban lebten, und überhaupt alle Klöster, welche Frankenreich, Italien und das ganze Burgund in sich zusammenschließen, und, mit kluger Absicht vorsorgend, wie eine sehr kluge Biene, nahm er, was immer er durch besseren Eifer blühen sah, sich zum Beispiel . . .

Aber da die göttliche Macht sein Licht auf einen Kandelaber setzen wollte, auf daß die Lampe seiner Heiligkeit weiterhin mit blitzendem Strahl seiner Tugenden leuchte, gab sie in das Herz dieses heiligsten Mannes, daß er aus eigenem ein Kloster bauen müsse. Da erhielt er vom König der Franken Chlodwig und dessen Königin Baldechilde einen Platz im Rotomagensischen Gau, den das Altertum mit sehr altem Namen Gemeticum zu nennen pflegte, demütig gewährt, und er errichtete dort – wie man sah – ein vornehmes Kloster . . .

Dort errichtete er unter der Fürsorge des hl. Geistes turmhoch sich erhebende Mauern im Quadrat (im Recht-eck), ein Klaustrum, bewundernswert (bei) der Aufnahme, den Ankommenden günstig. Innendrin leuchtet das seinen Bewohnern würdige, das nährende Haus. Von Osten erhebt sich die Kirche, in Gestalt eines Kreuzes errichtet, dessen vornehmste Stelle die nährende Jungfrau Maria innehat. . . . Es erhebt sich von Süden die Zelle des Heiligen Gottes, die steinerne Einfassung leuchtet. Das an Steinen reiche Klaustrum begleiten Bogenhallen, wechselnde Zier ergötzt den Sinn, von rauschenden Wassern umgürtet. Zweihundertneunzig Fuß lang und fünfzig Fuß breit ragt nach Süden lang zweifach (duplex) das Schlafhaus hervor. Für jedes einzelne Bett dringt Licht durch die Fenster, so begünstigt das Licht, das Glas durchdringend, die Lesenden. Darunter sind Zwillingsräume, zwei Aufgaben günstig. Hier werden die Weine gehütet und gehortet, dort die guten Mahlzeiten bereitet. Da wieder kommen zusammen, die würdig Christus dienen, kein Eigen besitzen, keines Gewinnes bedürfen, da sie, auf den Herrn hoffend, keines Guts ermangeln, damit durch sie wahrhaft die Schrift erfüllt werde: ›Der Friede, o Herr, ist denen, die Dein Gesetz lieben, und es gibt für sie kein Ärgernis.‹ Hier leuchtet bewundernswerte Liebe, große Enthaltsamkeit, höchste Demut, Keuschheit in allem.

Aus der Geschichte der Äbte von Fontenelle

An öffentlichen und privaten Bauten hat er die folgenden begonnen und vollendet:

Vor allem ließ er ein sehr vornehmes Mönchsdormitorium bauen, das 208 Fuß lang und 27 Fuß breit ist. Überhaupt alle seine Bauten sind 64 Fuß hoch aufgeführt; ihre Mauern sind aus trefflichem Tuffstein mit rotem Flußsand und sehr starkem bindenden Kalkmörtel errichtet. Das Dormitorium besitzt einen Söller in seiner Mitte, der einen aufs beste ausgezierten Fußboden hat und eine Decke, die mit edelsten Malereien geziert ist; obendrein gibt es in diesem Haus noch Fenster aus Glas. Mit Ausnahme der (beschriebenen) Außenmauern sind seine Gebäude alle aus dem Material dauerhafter Eichen gefügt und sind die Dachziegel obendrein alle mit eisernen Nägeln angebracht; sie haben unten und oben Tragebalken.

Sodann baute er ein anderes Gebäude, das man das Refektorium nennt, das er in der Mitte durch eine Mauer, die zu dem Zweck errichtet ist, so teilen ließ, daß der eine Teil als Refektorium und der andere als Cellarium dient. Das Gebäude ist aus demselben Material und von gleichen Maßen wie das Dormitorium, und er ließ es mit verschiedenen Malereien auf den Mauern und an der Decke von Madalulfo, einem hervorragenden Maler der Ecclesia Cameracensis, ausmalen.

Als drittes ließ er ein vorzügliches Gebäude errichten, das (die Mönche) Domus Maior nennen, welches, nach Osten gewendet, einerseits das Dormitorium und andererseits das Refektorium berührt; darin ließ er die Camera und Caminate und noch andere Räume einbauen; ließ das Werk aber infolge seines Todes zum Teil unvollendet zurück.

Diese drei hervorragenden Häuser sind so angelegt: das Dormitorium ist mit der einen Seite nach Norden gewendet, mit der anderen nach Westen und stößt mit dieser an die Basilika S. Petri. Das Refektorium ist ähnlich zu gleichen Richtungen gewendet und berührt auf der Südseite fast die ›Apsis‹ der Basilika S. Petri; ferner ist jene Domus Maior, wie wir oben gesagt haben, gebaut worden.

Die Kirche des hl. Petrus ist im Süden gelegen, aber dennoch nach Osten gewendet; auch sie hat (Ansegis) im Westen um 30 Fuß in der Länge und um ebensoviel in der Breite erweitert und darüber ein Coenaculum errichtet, welches er zu Ehren unseres Herrn und Gottes, unseres Heilandes Jesus Christus zu weihen wünschte; aber auch dieses Werk blieb wegen seines allzu schnellen Todes unvollendet. Er ordnete aber an, daß auf der Spitze des Turms dieser Basilika eine aus Rundhölzern gebaute, 35 Fuß hohe, viereckige Pyramide aufgestellt werde, welche mit Blei, Bleisilber und vergoldetem Kupfer bedeckt werden sollte, wie er anordnete, und wo er drei Zeichen aufstellte. Vorher war dieses Werk nämlich allzu niedrig gewesen. Denn diesen Turm und zugleich die ›Apsis‹ ließ er mit Bleiziegeln von neuem decken. Außerdem verfügte er, ein anderes Gebäude bei der ›Apsis‹ der Basilika S. Petri nach Norden zu zu bauen, welches richtig Conventus oder Curia — griechisch Bouleuterion — genannt wird, deswegen, weil in ihm die des Rats über irgendeine Sache pflegenden Brüder zusammenzukommen gewohnt waren. Dort wird an einem Pult täglich die Lesung vorgetragen; dort auch wird überlegt, was die Autorität der Regel zu tun anrät. Dort auch, ordnete er an, sollten (die Mönche) ein Denkmal seines Namens errichten, auf daß er, wenn (Gott) das Ende des gegenwärtigen Lebens gäbe, dort von den Seinen beigesetzt werde. [Ebenfalls verfügte er, daß vor dem Dormitorium, dem Refektorium und jenem Gebäude, das wir die Domus Maior genannt haben, vornehme Portiken gebaut würden mit Bogen, denen er ein Gebälk auflegte und die er auf die Länge der genannten Häuser ausdehnte. In der Mitte jener Portikus aber, die man vor dem Dormitorium liegen sieht, legte er ein Archiv an.] Das Haus aber, in dem die Bibliothek verwahrt wird — auf griechisch Pyrgiskos — legte er vor das Refektorium, dessen Ziegel er mit Eisennägeln befestigen ließ.

Die Königshalle
in Lorsch,
vollendet 774

Zur baulichen Anlage eines Klosters

Von Wolfgang Braunfels

»Der Chronist von *Fontenelle* ordnet seinen Bericht der Lebensgeschichte des Abtes Ansegis (822–833) ein und gibt deshalb nicht nur Nachrichten über die Bauwerke, sondern auch über die Reihenfolge ihrer Entstehung. Ausgangspunkt bildete ein älterer Kirchenbau, den Ansegis erweitern und verschönern ließ, doch nicht ersetzen wollte. Im besonderen hebt der Chronist die drei gleichhohen Gebäude um den Kreuzgang hervor, von denen zuerst das Dormitorium, dann ihm gegenüber Keller und Refektorium, und auf der Südseite zuletzt ein drittes Haus errichtet wurden, dessen Bestimmungszweck als Camera und Caminata bezeichnet wird. Es kann sich nur um Arbeitsräume für die Mönche handeln, vielleicht auch um die Kleiderkammer. Diese drei Gebäude waren rund 21 m hoch, müssen also doppelgeschossig gewesen sein. Während das Dormitorium – es handelt sich erneut um einen sehr großen Raum von 85 m Länge und freilich nur 9 m Breite – genau beschrieben wird, erfahren wir nichts über den Bestimmungszweck des Erdgeschosses. Vom Refektoriumsbau hören wir, daß er zur Hälfte als Vorratskeller und zur Hälfte als Speisesaal diente, wobei eine horizontale Teilung immerhin noch wahrscheinlicher ist als eine vertikale. Der dritte Bau endlich diente einem Zweck, dem in allen späteren Klöstern kein vergleichbar wichtiges Bauwerk zugeordnet wurde. Bedeutsam ist, daß sowohl das Refektorium im Westen wie das Dormitorium im Osten einen Vorbau in Gestalt eines Erkers besaß, der als Bibliothek, bzw. als Archiv diente. Zu einem besonderen Raum für die Kapitelversammlung wurde die Portikus vor der Kirche, also der Nordflügel des Kreuzgangs ausgebaut. Hier fanden in vielen frühen Klöstern die Kapitelversammlungen statt. Auch der Gedanke, an dieser Stelle das Grab und den Gedenkstein des Stifterabtes vorzusehen, wurden später oft wieder aufgegriffen. Man möchte glauben, daß Ansegis sich nicht als erster diese Stelle ausgewählt hat. Der Kapitelraum war immer die Hauptwirkungsstätte des Abtes gewesen.

Die Beschreibung von *Fontenelle* zeigt, daß auch in hochkarolingischer Zeit das klassische Schema eines Benediktinerklosters noch nicht voll entwickelt war. Zwar hatte das Dormitorium, wie schon in *Jumièges*, seine endgültige Stelle eingenommen, doch hatte man noch nicht erkannt, daß es besser wäre, Refektorium und Keller auf zwei verschiedene Gebäude im Süden und Westen zu verteilen, an deren einer Ecke die Küche ihren organischen Platz finden könnte. Auch hat es sich später erwiesen, daß für die Mönchsstube kein eigener Bau notwendig war, da unter dem Dormitorium ausreichend Platz vorhanden war. Von dem Gedanken, Archiv und Bibliothek in besonderen Gebäuden am Kreuzgang unterzubringen, ist man zunächst wieder abgekommen. Immerhin ist schon der Aufwand, mit dem man baute, und der Reichtum der künstlerischen Ausstattung beachtlich. Das Kloster rückt neben der Pfalz und der Bischofskathedrale an die Spitze der monumentalen Aufgaben des Zeitalters. Gerade die Beschreibung des Klosters von Ansegis weist darauf hin, daß sich bis dahin kein verbindlicher Klosterplan hatte durchsetzen können. Hier sollte das Projekt für *St. Gallen* einen bedeutenden Schritt weiter führen. Erst auf der Aachener Synode von 816 scheint man den Bauplan im Bezug auf die Regel genau durchgesprochen zu haben. Daß man damals noch zu keinem Abschluß kam, beweist schon die Tatsache, daß der Kapitelsaal als Hauptraum unter dem Dormitorium sich nicht vor Beginn des 11. Jahrhunderts belegen läßt. Wahrscheinlich hat man zuerst in *Cluny* im Ausgang des 10. Jahrhunderts einen Kapitelsaal gebaut. Immerhin genügen die Belege zu der Aussage, daß das klassische Klosterschema in wesentlichen Teilen ein Werk der karolingischen Renaissance ist.«

Aus den Aachener Erlassen (816 und 817)

Synodi Primae Aquisgranensis Decreta und *Synodi Secundae Aquisgranensis Decreta*

Auf Befehl Ludwig des Frommen fanden im August 816 und im Juli 817 unter dem ›Vorsitz‹ Benedikts von Aniane zwei Mönchssynoden statt, in denen Ausführungsbestimmungen in Ergänzung zu der Regel des hl. Benedikt erlassen wurden. Sie hatten das Ziel, das Klosterleben in allen fränkischen Klöstern zu vereinheitlichen. Ein Vergleich der Dekrete ergibt, daß strengere Bestimmungen, die Benedikt von Aniane 816 durchsetzte, durch mildere einer Oppositionspartei, zu der auch der Abt der Reichenau, Haito, gezählt zu haben scheint, 817 modifiziert worden sind. Diese milderen Bestimmungen haben das Bauprogramm des St. Galler Planes mitbestimmt. Sie betreffen, wie Walter Horn nachwies, vor allem die Sonderstellung des Abtes, seines Wohnbereichs und seines abgesonderten Eßraumes. Doch sind auch einige wenige Bestimmungen in diesen knappen Auszug aufgenommen, die erneut die Bedeutung der Regel selbst hervorheben.

Der Text der Decreta wurde der neuen Ausgabe von Semmler entnommen: Corpus consuetudinum Monasticarum, I, Siegburg 1963, S. 451 ff. und 469 ff.

»Im Jahre 816 der Menschwerdung unseres Herrn Jesus Christus und im dritten Jahr der Regierung des ruhmreichen Fürsten Ludwig beschlossen am 23. August die Äbte, die zugleich mit ihren Mönchen im sogenannten Haus ad Lateranis der Pfalz zu Aachen getagt hatten, auf Grund gemeinsamer Beratung und mit gleichem Willen von äußerst vielen ihrer Mönche, daß die folgenden Kapitel von den Regularen unverbrüchlich gehalten werden sollen.

I. Kapitel: Sobald die Äbte zu ihren Klöstern zurückgekehrt sein werden, sollen sie die Regel vollständig lesen, indem sie sie Wort für Wort erwägen, und wenn sie sie begreifen, sollen sie sich mit der Hilfe des Herrn bemühen, sie mit ihren Mönchen wirklich zu erfüllen.

II. Kapitel: Alle Mönche, die es können, sollen die Regel auswendig lernen.

III. Kapitel: Das Offizium sollen sie gemäß der Regel des hl. Benedikt halten.

IV. Kapitel: In der Küche, in der Mühle und den übrigen Werkstätten sollen sie mit eigener Hand arbeiten und zu gelegener Zeit ihre Kleider selbst waschen.

VII. Kapitel: Bäder (warme), gleichwohl getrennt, sollen sie überhaupt nur zu Weihnachten und an Ostern nehmen.«

»Im Jahre 817 der Menschwerdung unseres Herrn Jesus Christus und im vierten Jahr der Regierung des ruhmreichen Fürsten Ludwig, beschlossen am 10. Juli die Äbte, die zugleich mit sehr vielen Mönchen im sogenannten Haus ad Lateranis der Pfalz zu Aachen tagten, auf Grund gemeinsamer Beratung und mit übereinstimmendem Willen, daß die folgenden Kapitel unverbrüchlich gehalten werden sollen.

IV. Kapitel: Den Äbten ist es erlaubt, Zellen (in ihren Klöstern) zu haben, in denen Mönche oder Kanoniker wohnen; der Abt (aber) sorge vor, daß er nicht weniger als sechs Mönche dort wohnen lasse.

V. Kapitel: Im Kloster soll keine Schule gehalten werden außer für die, die dem Klosterleben übergeben sind.

XIV. Kapitel: Laien dürfen zum Essen und Trinken nicht ins Refektorium geführt werden.

XXIV. Kapitel: Das Dormitorium, in dem die vorüberreisenden Mönche schlafen sollen, soll neben dem Oratorium angelegt werden.

XXIX. Kapitel: Es sollen gelehrte Brüder ausgewählt werden, die mit den Gästen zu sprechen haben.«

Blick in den
Innenraum der
Aachener Pfalz-
kapelle, geweiht
806

Die Königsherrschaft

Die Größe des Reiches und das – gegenüber der römischen Zeit – gering entwickelte Geld-, Verkehrs- und Nachrichtenwesen ließen eine zentrale Beamtenorganisation sowohl im antiken, wie im modernen Sinne nicht zu. In einer Zeit, in der Grund und Boden das einzige Kapital, Landwirtschaft die wesentliche Erwerbsgrundlage waren, konnte sich auch die Königsherrschaft nur auf diese stützen. Der König war der größte Grundherr seines Reiches. Die königlichen Domänen bildeten die Lebensgrundlage des Hofstaates.

Der königliche Hof mußte also ständig reisen, einmal um sich zu ernähren, zum andern, um die Herrschaftsaufgaben wahrzunehmen. Stützpunkte des reisenden Hofes waren die Pfalzen und Reichsklöster, in denen die zur Ernährung des Hofes bestimmten Erträge lagerten.

Dazu mußte bei der Größe des Reiches der König Macht

STAMMTAFEL DER KAROLINGER

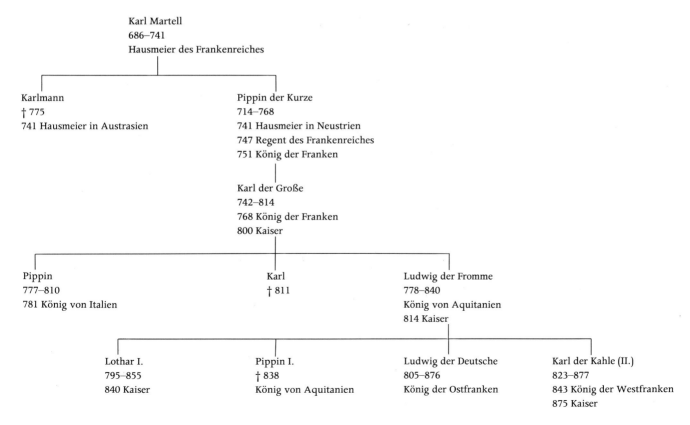

Karl Martell
686–741
Hausmeier des Frankenreiches

Karlmann
† 775
741 Hausmeier in Austrasien

Pippin der Kurze
714–768
741 Hausmeier in Neustrien
747 Regent des Frankenreiches
751 König der Franken

Karl der Große
742–814
768 König der Franken
800 Kaiser

Pippin
777–810
781 König von Italien

Karl
† 811

Ludwig der Fromme
778–840
König von Aquitanien
814 Kaiser

Lothar I.
795–855
840 Kaiser

Pippin I.
† 838
König von Aquitanien

Ludwig der Deutsche
805–876
König der Ostfranken

Karl der Kahle (II.)
823–877
843 König der Westfranken
875 Kaiser

delegieren. Dies geschah einmal durch Übertragung königlicher Gebiete an Große des Reiches zu Verwaltung und Nutznießung: für dieses Lehen leistete der, der es empfing, den Treueid und wurde Lehensmann des Königs. Dies geschah zum anderen durch Einsetzung von Treueid an den König zu binden, führte zu einem ständigen Bedarf an verleihbarem Land. Er konnte nur gedeckt werden durch Eroberung von Nachbargebieten bei Enteignung der Eigentümer oder durch Vergabe königlichen Grundeigentums. Das erstere kennzeichnet die Ex-

Karolingischer Pfennig, Silber. Münzstätte Mainz, nach 804
Vorderseite KAROLUS IMP.AUG.-M

etwa 200 Grafen, die im Auftrag des Königs ihre Grafschaft verwalteten und dort Recht sprachen. Von ihnen übernahmen an den Grenzen des Reiches die Markgrafen noch dazu Sicherheitsaufgaben. Sie besaßen hierzu zusätzlich das Heerbannrecht. Die Amtsführung der Grafen wurde von Königsboten überprüft. Gegenüber Lehensmannen (Vasallen) und Grafen bildeten sie das vereinheitlichende Element in der Reichsverwaltung.
Die Notwendigkeit, Große durch Landverleihung und

Bildnis eines Landesherrn, 9. Jh.
Fresko aus St. Benedikt in Mals/Vinschgau

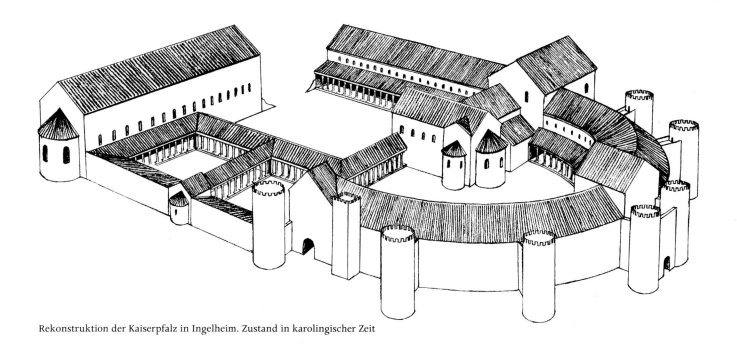

Rekonstruktion der Kaiserpfalz in Ingelheim. Zustand in karolingischer Zeit

Kämpferkapitell aus Ingelheim, 8/9. Jh. Mittelrheinisches Landesmuseum Mainz

Fragment einer Reliefplatte mit Flügelpferd aus Ingelheim, Mitte 2. Hälfte 8. Jahrhundert. Mittelrheinisches Landesmuseum Mainz

pansionspolitik Karls des Großen, das letztere ist eine Ursache für das Absinken königlicher Macht unter seinen Nachfolgern.

Königsherrschaft ist aber mehr als Verwaltungsherrschaft. Sie stützt sich auf die Kirche nicht nur, insofern die hohe Geistlichkeit und das Kirchengut zum Dienst am Reich herangezogen wurden, sondern sie wirkt auch durch die Kirche, insofern sie »Heilsherrschaft« ist. Das Kreuz gehört als Zeichen der geistlichen Dimension des Amtes zu den Reichsinsignien. Der König lenkt die Bischofswahlen, leitet die Synoden der Reichskirche, wirkt bei ihren Beschlüssen mit. So war, was wir als einander widersprechend annehmen müssen, im Bewußtsein jener Zeit eins: Eroberung und Mission. Der König war Vertreter Christi und der war, wie es der Heliand zeigt, Gefolgsherr und Heerkönig. (W.B.)

90

Der Hortulus des Walahfrid Strabo

Von Armin Elz

Der im Atrium des Mittelrheinischen Landesmuseums errichtete Kräutergarten ist Teil der Ausstellung »Rabanus Maurus in seiner Zeit«. Es handelt sich hierbei um eine Rekonstruktion im Maßstab 1:2. Die von Walahfrid Strabo (808/809–849), Abt des Klosters Reichenau, im 9. Jahrhundert geschaffene Gartenanlage besaß demnach eine doppelt so große Grundfläche. In 24 Beeten wurden 24 verschiedene Gewürz- und Heilkräuter zum persönli-

chen Gebrauch angepflanzt, die Gegenstand der Weltliteratur geworden sind, damit, wie Walahfrid Strabo es ausdrückt, »das Schlichte mit unendlicher Ehre geschmückt werde«.

Gemäß der monastischen Lebensregel »Ora et labora«, »Bete und arbeite«, lenkte einerseits die körperliche Betätigung im Garten von den Versuchungens des Teufels ab und bot andererseits einen willkommenen Kontrast zu

Der »Hortulus« (Kräutergarten) des Walahfrid Strabo
(rekonstruiert nach dem St. Galler Klosterplan)

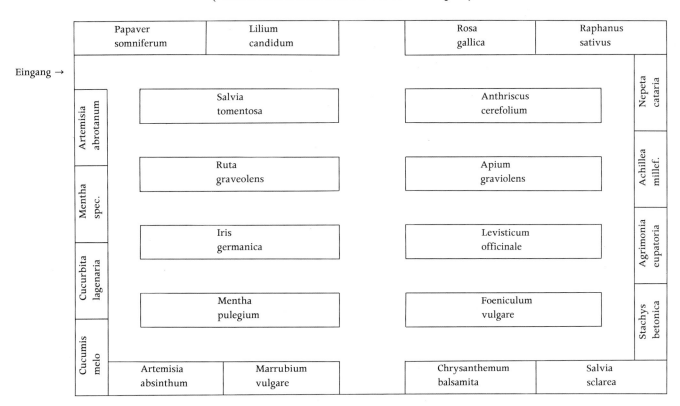

Kontemplation und Gebet. Aus dieser Lebenshaltung heraus entstand der »Hortulus«, ein lateinisches Gedicht in 444 Hexametern, das botanisch und literarisch gleichermaßen zum Besten gehört, was in der Nachfolge Vergils bis heute geschrieben wurde. Verblüffend für den Naturwissenschaftler ist zunächst die genaue Beobachtungsgabe, die im Gedicht zum Ausdruck kommt, die Lebendigkeit der Pflanzenbilder. So wird die präzise Beobachtung des Flaschenkürbis nicht nur zu einer literarischen Kostbarkeit, sondern zugleich zu einem Dokument der Botanik. Vom obszönen Gartengott Priapus bis zu Christus als Mitte und Ziel baut Walahfrid großzügig mit heidnischen und christlichen Bausteinen ein wahrhaft abendländisches Werk der karolingischen Renovatio. Die Pflanzenwelt, die er beschreibt und deren Deutung er hier mit neuen Ergebnissen vorlegt, ist selbst oft mediterranen Ursprungs und zeigt die Verflechtung des Abendlandes auch auf dem Gebiet der Botanik. Die Schönheit der Pflanzen ist mit Augen, die nur an rasch wechselnden farbigen Reizen Maßstab nehmen, nicht zu fassen. Es werden vielmehr alle Sinne, einschließlich des Sinnes für Symbolik angesprochen, ohne daß der schlichte Gaumen zu kurz käme.

Mit Rabanus' Schüler Walahfrid hat die literarische Kultur der Karolingerzeit einen Höhepunkt erreicht. In ihm traf die wiedergewonnene Fähigkeit, mit der lateinischen Literatursprache frei umzugehen, auf eine Dichterpersönlichkeit.

In einem umfangreichen Gedicht, das vom Leser Geduld und Mühe verlangt, wie beim Umspaten eines Gartens, werden das Heilige und das Menschliche nicht pathetisch überfordert, nicht vorschnell gepriesen, großzügig verteilt und verbraucht. Heiligkeit und menschliche Zuneigung leuchten am Ende auf wie Lilie und Rose inmitten eines Gartens, in dem Rettiche und andere schlichte, heilkräftige Kräuter, Salate, Wurzelgemüse, Teepflanzen, Früchte und Arzneien nicht ohne unsere Arbeit wachsen.

Der Hortulus, als Freundesgabe des Abts Walahfrid Strabo an seinen Mitbruder und Lehrer Grimald, sollte auch uns erreichen; denn hier wird ein bescheidener Blumengruß zu einer vielfältigen Heilsbotschaft.

Die Eigenart des Gedichtes bringt es mit sich, daß sich die Anlage von Walahfrids Gärtlein recht gut rekonstruieren

läßt. Die Beschreibung im Hortulus stimmt auch mit Grabungsergebnissen aus dem Jahre 1960 überein.
Das vorliegende Gartenmodell stellt zwar die 24 Pflanzen vor, vermag jedoch nur andeutungsweise einen Eindruck von der klösterlichen Gartenatmosphäre zu vermitteln.
Die Errichtung der Gartenanlage wäre ohne Unterstützung von Außen nicht möglich gewesen. Unser Dank gilt daher insbesondere Herrn Dr. Hecker (Institut für Spezielle Botanik der Universität Mainz), der uns mit wissenschaftlichem Rat zur Seite stand und uns Saatgut und Pflanzenmaterial zur Verfügung stellte. Zu Dank verpflichtet sind wir auch Herrn Gartenbaudirektor Schröder (Stadtgärtnerei) und allen Schülern und Kollegen des Rabanus-Maurus-Gymnasiums, die uns unterstützten.

HEILPFLANZEN – PFLANZENHEILKRÄFTE

Die Kenntnis der Pflanzenheilkräfte ist uralt. Schon der vorgeschichtliche Mensch dürfte sie auf der Suche nach pflanzlicher Nahrung erworben haben. Zu den ältesten Schriften des Abendlandes, in denen von Heilpflanzen die Rede ist, gehört die von mehreren Priesterärzten des 5. und 4. Jahrhunderts v. Chr. verfaßte »Hippokratische Schriftensammlung«; der bedeutendste war der um 460 auf der Insel Kos geborene Hippokrates.
Auf den von griechischen und römischen Gelehrten, wie Theophrastos, Dioskorides, Plinius und Galenus, gesammelten Erfahrungen fußten mehr oder weniger die deutschen »klassischen« Kräuterbücher, die in den ersten Jahrzehnten nach der Erfindung der Buchdruckerkunst herausgegeben wurden und solchen Anklang fanden, daß sie neben der Bibel zu den verbreitetsten Hausbüchern wurden. Die ausgesprochen mitteleuropäischen Heilpflanzen, die natürlich in den Werken der Alten fehlten, behandelten jene Bücher nicht nur im Sinne des damaligen Volksbrauchs, sondern sie benützten auch die alten Erkenntnisse unserer Vorfahren, die die Äbtissin Hildegard von Bingen im 12. Jahrhundert in ihrem Werk »Physika« mit aufgezeichnet hatte.
Besonders hervorzuheben ist Paracelsus (1493–1541), der seine wertvollsten Heilmittel nach seinen eigenen Worten durch fahrendes Volk, Zigeuner, Bader, Schäfer und als Hexen verschriene Kräuterweiber kennengelernt hat. Paracelsus war von der Signaturenlehre überzeugt, bei

der die Heilwirkung eines Pflanzenteils aus dessen Form oder Farbe abgeleitet wurde. So sollte etwa der gelbe Saft des Schellkrauts gegen Gelbsucht, rote Wurzeln (Blutwurz) gegen Blutkrankheiten Anwendung finden.

Wie wir heute wissen, beruhen die Wirkungen der Heilpflanzen hauptsächlich auf den in den Pflanzenteilen (Blüte, Blatt, Stengel, Wurzel ...) enthaltenen chemischen Verbindungen, die den verschiedensten Stoffklassen angehören und im Laufe der letzten 100–150 Jahre genauer erforscht worden sind.

Nach dem Sammeln werden die Heilkräuter entweder sofort verarbeitet (Salat, Preßsaft) oder durch Trocknen für längere Zeit haltbar gemacht. Aus den getrockneten Materialien werden Tees, Tinkturen, Extrakte und Salben hergestellt.

An drei Beispielen sollen Anwendungsmöglichkeiten aufgezeigt werden:

1. *Achillea millefolium / Gewöhnliche Schafgarbe*
Achilleios – altgriech. von Achilles abgeleiteter Name einer nicht sicher deutbaren Pflanze; millefolium lat. = Tausendblatt, wegen der feinen Zerteilung der Blätter.

Die Schafgarbe zählt zur Familie der Korbblütler. Auf trockenen Wiesen erreicht die Staude eine Höhe von etwa 20–25 Zentimetern. Die Schauwirkung der verhältnismäßig kleinen Blütenköpfe wird dadurch erhöht, daß sie dicht zu einer Doldenrispe vereinigt sind. Dabei sind die kleinen Köpfchen, die mit ihren normalweißen Strahlblüten eine Einzelblüte vortäuschen, bereits ein aus vielen Blüten zusammengesetzter Blütenstand.

Das Kraut, welches in den Monaten Mai und Juni gesammelt wird, enthält ätherische Öle, Bitter- und Gerbstoffe mit blutreinigender, auswurffördernder und krampflösender Wirkung.

Anwendung: Appetitlosigkeit, Magen- und Darmkatarrh, Gallenstauung, innere Blutungen, krampfartige Herzanfälle, Asthma, Steinleiden, Menstruationsbeschwerden, Geschwür.

2. *Agrimonia eupatoria / Gewöhnlicher Odermennig*
Argimonia – lat. Pflanzenname aus dem Mittelalter, falsch übertragen und verstümmelt aus griech. argemone = Mohn; Eupatorios = altgriech. Name unserer Pflanze von Eupator, dem Beinamen des Mithridates.

Das in lichten Wäldern, an Weg- und Waldrändern und auf Triften wachsende Rosengewächs wird bis zu einem Meter groß. Die Staude zeichnet sich durch seidig behaarte, unpaarig gefiederte Blätter und gelbe Blüten aus, die zu einer langen lockeren Traube angeordnet sind. Die Früchte ähnelnd der Klettfrucht. Sie tragen abstehende Borsten, die an ihren Spitzen mit Widerhaken versehen sind.

Die Wurzeln der im Juli blühenden Pflanze enthalten Gerbstoffe, die auf Stoffwechselorgane anregend wirken.

Anwendung: chronische Leberleiden, Katarrh der Luftwege, Gicht, Rheuma, chron. Hautleiden

3. *Ruta graveolens / Wein- oder Gartenraute*
Ruta – altrömischer Name der Pflanze, der deutsche Name vom lat. gebildet und auch auf andere Pflanzen mit rhombischem Blattschnitt übertragen; graveolens lat. = stark riechend.

Die zu den Rautengewächsen zählende Pflanze besitzt einen herb aromatischen Geruch, der auf ein in deutlich erkennbaren Drüsen enthaltenes ätherisches Öl zurückgeht. Die Blätter sind unpaarig doppelt gefiedert, die Fiederchen zeigen rhombische Gestalt. Die grünlichgelben, nicht sehr auffallenden Blüten besitzen eigenartig kapuzenförmig eingekrümmte Blütenblätter und bieten den Nektar in 8–10 um den Fruchtknoten verteilten Grübchen den Bestäubern (Zweiflügler und Hautflügler) offen dar.

Das Laub wird vor der Blüte geerntet. Es enthält haut- und schleimhautreizende Öle. Schwache Gaben wirken krampfstillend und nervenberuhigend.

Anwendung: Schwindelanfall, nervöses Herzklopfen, rheumatische Schmerzen, Sehschwäche, Ermüdung der Augen, als Klistier gegen Kindermaden.

Der Abt

Im frühen, asketischen Möchtum des Orients begründete die Unterweisung im Glauben ein geistliches Vater-Sohn-Verhältnis zwischen dem Abt (biblisch aba = Vater) und seinen Schülern. In den durch eine Regel gebundene Mönchsgemeinschaften des Pachomius (* 346) und Basilius (* 379) gesellte sich zur Idee der geistlichen Vaterschaft des Abtes noch der Begriff der rechtlichen Autorität und des geistlichen Amtes. Die Regeln Benedikts von Nursia nennen den Abt aufgrund dieser Entwicklung Herr (dominus) und Abt (abbas). Im fränkischen Gallien wurde es üblich, daß mehrere Bischöfe zugleich einem Kloster die freiwillige Beschränkung ihrer geistlichen und wirtschaftlichen Aufsicht und die freie Abtswahl urkundlich garantierten. Auch die Päpste verliehen zuweilen solche Exemptionen von der bischöflichen Gewalt. Gleichzeitig gewährten die Könige sogenannte Immunitäten, deren Resultat die Verwaltung staatlicher Hoheitsrechte durch den Abt war. Wurde dadurch schon die Position des Abtes bedeutend gehoben, so erhielten zahlreiche Äbte unter Pippin dem Jüngeren und Karl dem Großen praktisch die Stellung von Reichsfürsten, als ihren Abteien dem königlichen Fiskus einverleibt und damit zu Reichsabteien erhoben wurden.

Vom Königstum reichlich beschenkt, standen viele Reichsabteien den Bistümern hinsichtlich ihrer ausgedehnten Besitzungen und ihrer wirtschaftlichen Leistungsfähigkeit kaum nach. Andererseits wurden die Reichsäbte auch stark mit staatlichen Aufgaben in Anspruch genommen und sogar in politische Kämpfe verwickelt. Bei internen Schwierigkeiten konnte der Herrscher wiederum im Kloster ordnend eingreifen, was in Fulda vor dem Abbatiat von Rabanus mehrmals nötig war. Rabanus selbst hatte im ganzen eine glückliche Hand bei der Leitung Fuldas, da er geistliche und weltliche Aufgaben mit Diskretion und mit Tatkraft löste. Als er sich Ende 841 oder Anfang 842 aus politischen Gründen zur Resignation entschloß, konnte sein persönlicher Freund Hatto als Abt nachfolgen, ohne daß der Konvent

St. Martin in Tours, Westturm, 13. Jahrhundert

Schaden nahm. Auch nach der Resignation und noch als Mainzer Erzbischof trat Rabanus für das Wohl seiner Fuldaer Mönche ein. (F.St.)

Rasdorf bei
Fulda, Blick
durch die Bögen
der Westempore
in den Raum der
ehem. Kloster-
kirche auf drei
Kapitelle,
1. Hälfte
9. Jh. (?)

Ausgew. Lit: G. Constable, Medieval Monasticism. A Select Bibliography. Toronto, Buffalo 1976.

P. Salmon, L'abbé dans la tradition monastique. Contribution à l'histoire du caractère perpétuel des supérieurs religieux en occident. Paris 1962 (engl. Ausgabe Washinton D.C. 1972).

J. Semmler, Pippin III. und die fränkischen Klöster, Francia 3 (1975), S. 88–146.

J. Wollasch, Mönchtum des Mittelalters zwischen Kirche und Welt. München 1973.

Zwei Zeugnisse für das Wirken des Abtes, die ihn weniger in seiner kirchlichen Würde, sondern vielmehr als Grundherren und Vasallen zeigen, womit zugleich auch die Vielschichtigkeit des Amtes mehr als deutlich zum Ausdruck kommt. Die Verfügungsgewalt über Hörige gehörte eben genau so zum Lebensbereich des Abtes, wie die Möglichkeit, einem Grundeigenen des Klosters die Freistellung vom Heerbann zu erwirken. Geistliche und weltliche Funktion also, wie sie sich aus der Gesellschaftsstruktur der Zeit und aus den wirtschaftlichen Gegebenheiten ergab:

Urkunde des Rabanus für zwei Mägde

(wohl 30. Juli 838 oder kurz danach)

Ich, in Gottes Namen Abt Rabanus, gewähre Euch, den Mägden des hl. Bonifatius Leoberat und deiner Tochter Uuilrat, wie Uidarolt mich gebeten hat, der Euch dem hl. Bonifatius als seine Almosen schenkte, daß Ihr keinen anderen Dienst leisten müßt, als daß jede von Euch jedes Jahr am Fest des Hl. Bonifatius in Rohr[1] einen Denar zahlt. Unter dieser Bedingung verordnen wir Euch diesen Zins, daß Eure Nachkommenschaft ohne Widerspruch den gewöhnlichen Knechtsdienst verrichtet und den Knechtsstand in keiner Weise abstreitet. + Zeichen des Abtes Rabanus, der dies gewährte und aufzuschreiben befahl. + Zeichen des Priesters Recheo. + Zeichen des Priesters Hartrat. + Zeichen des Priesters Engilbraht. + des Priesters Gerolf. + des Priesters Hruadbraht. + des Diakons Salucho. + des Mönchs Fridurich. + des Mönchs Otuuin. + des Priesters Theotmar, der dies auf Befehl des vorgenannten Abtes schrieb.

[1] Rohr bei Suhl in Thüringen. (Dronke nr. 516)

Brief Einhards an Rabanus

(822–840)

An den verehrtesten Diener Christi und ehrwürdigen Abt Rabanus, der Sünder Einhard.

Ein Vasall von Euch namens Gundhart hat uns gebeten, daß wir für ihn bei Eurer Heiligkeit eintreten, damit ihm, nicht gegen Euren Willen, sondern mit Eurer Gnade, erlaubt sei, den Heerzug, der zur Zeit veranstaltet wird, auszulassen und zu Hause zu bleiben. Er versichert, daß er durch große Not gezwungen sei, zu Hause zu bleiben, weil er in Fehde liege und nicht wage, mit seinen Feinden und denen, die ihm nach dem Leben trachten, diesen Zug mitzumachen, besonders mit jenem Grafen, mit dem er befehlsgemäß ziehen muß. Der sei sein ärgster Feind, wie er sagt. Deshalb bitte er, daß Euer Befehl ihn nicht in eine solche Gefahr treibe. Er sagt, daß er sich angelegen sein lassen werde und dafür sorgen wolle, die Sache mit dem Eintreiber des Heerbanns, wenn er kommt und ihn mit Strafe belegt, ohne Schaden für Euch zu regeln. Ich würde Euch wegen dieser Sache nicht bitten, wenn ich mich nicht selbst von seiner Not und Gefahr überzeugt hätte. Ich wünsche, daß es Euch immer wohl ergeht.

(MG Epp.VS.131 nr 42)

Der Bischof

Wer das Pastoralhandbuch (Regula Pastoralis) Gregors des Großen (* 604) zur Hand nimmt, findet darin zahlreiche Passagen, die in eine Anleitung für Gemeindepfarrer zu gehören scheinen. Dennoch wurde das Werk für einen Bischof verfaßt und hatte als solches großen Einfluß besonders im früheren Mittelalter. In der ausgeprägten Stadtkultur der Spätantike war der Bischof als Nachfolger der Apostel der eigentliche Priester und Lehrer seiner

ins Amt gelangten, blieb die Vorstellung vom Bischof als dem eigentlichen Seelsorger der Gläubigen erhalten. In sehr großen Diözesen, deren Anforderungen die Kraft eines Einzelnen überstiegen, wurden auch sogenannte Chorbischöfe eingesetzt, die geistliche, aber keine rechtlichen Aufgaben hatten, im Gegensatz zu den heutigen Weihbischöfen jedoch festgelegte Bezirke innerhalb der Diözese betreuten. Die ideelle Einheit von Bischof und

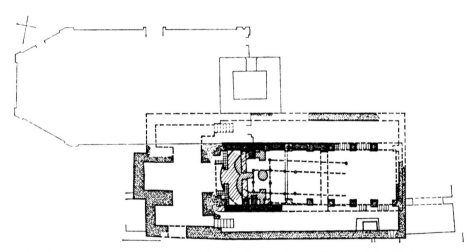

Solnhofen Bau I–III, 700–794 aus: Oswald, Schaefer, Sennhauser, Vorromanische Kirchenbauten, Prestel-Verlag München, 1966, S. 316

Stadt, der von ihrem Klerus und ihrer Bevölkerung zu wählen war. Die Presbyter und Diakone übten nur Hilfsfunktionen aus. Auch als in den Germanenreichen das Christentum, die reale Ausdehnung der Diözesen stark vergrößernd, auf das flache Land ausgriff, und die Bischöfe, ganz wie die Äbte, als Immunitätsherren, in der Karolingerzeit auch als Königsboten und Hofbeamte, staatliche Funktionen wahrzunehmen hatten, als sie auch nicht ohne den ausschlaggebenden Einfluß des Königs

Diözese schien damit freilich durchbrochen, weshalb diese Einrichtung im 9. Jahrhundert lebhaft diskutiert wurde. Rabanus Maurus hat sie nachdrücklich verteidigt. In den Missionsgebieten Frieslands und Sachsens wurde im 8. und 9. Jahrhundert auf königliche Initiative hin eine neue Bistumsorganisation aufgebaut, für die Fulda noch unter Abt Rabanus Starthilfe leistete. Während es in der ersten Hälfte des 8. Jahrhunderts zahlreiche fränkische Bischöfe gab, die lieber auf die Jagd als in die Kirche gingen, hatte sich inzwischen das geistige und geistliche Niveau durch die Reformen des Bonifatius bedeutend gehoben. Die zeitlichen Güter und die staatlichen Hoheitsrechte blieben allerdings eine Versuchung. Faktenmäßig kaum glaublich, aber als Illustration der weitverbreiteten Ehrsucht zutreffend ist die Erzählung Notkers des Stammlers von einem Mainzer Erzbischof, der in Abwesenheit Karls des Großen als Verweser des Hofes das königliche Zepter zu tragen wünschte. Verderblicher für Kirche und Reich war aber in den späteren Jahren Ludwigs des Frommen der Versuch der Durchsetzung bestimmter theologisch-politischer Forderungen hinsichtlich der Verfassung des fränkischen Staates durch eine Gruppe der kirchlichen Hierarchie, die man als »Reichseinheitspartei« bezeichnet. Im Verlauf der Auseinandersetzungen kam es zu einigen revolutionären Staatsakten, deren Mißerfolg und rechtliche Zweifelhaf-

tigkeit dem Ansehen des Episkopats insgesamt sehr schadete. Rabanus versuchte hier zu vermitteln. Auch nach dem Tod Ludwigs des Frommen hielten die Streitigkeiten um die Reichseinheit an und machten die Franken unfähig, sich gegen die immer stärker werdende Normannengefahr wirksam zu wehren. Rabanus hat die schlimmsten Niederlagen nicht mehr erlebt, durch die nicht nur große Gebiete an der friesischen Küste und in Südskandinavien, sondern auch zahlreiche Klöster und einige Bistümer in Nordfrankreich für lange Zeit der Christenheit verlorengingen. (F.St.)

Ausgew. Lit.: J. Gilchrist, The Office of Bishop in the Middle Ages, Tijdschrift voor Rechtsgeschiedenis 39 (1971) S. 85–101.
M. Heinzelmann, Bischofsherrschaft in Gallien. München 1976.
H. Hürten, Gregor der Große und der mittelalterliche Episkopat, Zeitschrift für Kirchengeschichte 73 (1962) S. 16–41.

St. Alban

Von Wolfgang Selzer

In der wechselvollen Geschichte von Mainz im frühen und hohen Mittelalter und vorher schon in römischer und frühchristlicher Zeit spielten das Kloster St. Alban und der Friedhof, in dessen Mitte es stand, eine bedeutsame Rolle. Schon die Lage auf den Höhen südöstlich der Stadt und außerhalb der Ummauerung hob die Anlage aus der Reihe der übrigen Mainzer Kirchen und Klöster heraus. Ihre restlose Zerstörung in der Mitte des 17. Jhs. ließ sie lange Zeit fast völlig in Vergessenheit geraten.

Aber bei einer zusammenfassenden Betrachtung über Rabanus Maurus, sein Leben, sein Werk und seine Zeit, kann das ehemals so bedeutsame Kloster nicht übergangen werden, steht es doch in engstem Zusammenhang mit eben dieser Persönlichkeit. Nicht nur, weil Rabanus aus Mainz stammt, nicht nur weil er als Mönch und Abt in der Welt des benediktinischen Mönchtums lebte und dachte, der auch das Kloster St. Alban zugehörig war, sondern auch, weil er zuletzt als Erzbischof von Mainz

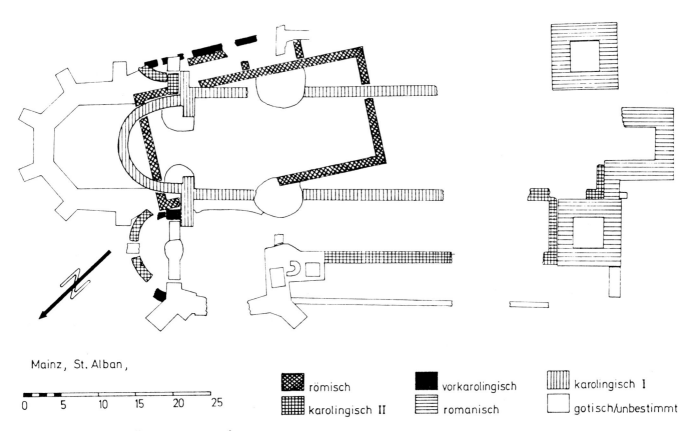

Mainz, St. Alban,

0   5   10   15   20   25

römisch   vorkarolingisch   karolingisch I

karolingisch II   romanisch   gotisch/unbestimmt

Ehem. Klosterkirche St. Alban in Mainz, Grundrisse

ein besonderes Verhältnis auch zu St. Alban hatte und schließlich dort seine letzte Ruhestätte fand. So erscheint es angebracht dieses Kloster auch hier kurz vorzustellen. Der aus mehreren Sondierungen und Grabungskampagnen – zuletzt 1907–1911 – gewonnene Befund, dem sich leider keine weiteren Untersuchungen mehr zugesellen, kann im Zusammenhang mit den recht guten historischen Quellen heute wie folgt gedeutet werden: Auf dem vom heutigen Südbahnhof den Albansberg hochziehenden Gelände befand sich ein ausgedehntes römisches Gräberfeld, das bis in das 1. Jh. zurückreicht. Die Tradition des Platzes wurde durch einen seit dem 4. Jh. von Christen belegten Friedhof fortgeführt, auf dem der römische Priester Alban beigesetzt wurde, der im Jahre 406 beim Überfall arianischer Germanen auf Mainz das Martyrium erlitten hatte. Bezeichnend erscheint, daß nach diesem Germaneneinfall die vermutlich noch einmal für wenige Jahrzehnte wiederhergestellte römische Verwaltung über dem Märtyrergrab eine monumentale rechteckige Saalkirche errichtete. Der 13 × 28 m große Bau ist in bester römischer Mauertechnik gebaut und orientiert sich mit seiner nach Nordosten weisenden Flucht offenbar nach der Richtung des römischen Gräberfeldes. Auf seiner Südostseite besaß er einen vorhallenartigen Anbau (Plan, Periode: römisch). Nach dem zeitlich nicht genau festzulegenden Untergang des römischen Baues entstand dann auf dessen Nordseite in fränkisch- merowingischer Zeit eine bedeutend kleinere Kirche. Sie hatte im Osten offenbar eine Apsis und war vielleicht auch schon in Stein gebaut. (Plan, Periode: vorkarolingisch). Selbst ein bevorzugter Bestattungsort, wie die zahlreichen Bestattungen beweisen, bestimmte diese mit ihrer Richtung mehr nach Osten gewendete Kirche die Anlage eines ausgedehnten fränkischen Reihengräberfeldes, das somit stufenlos die römische Tradition fortführte. Noch im 6. Jh. waren nach Ausweis der zahlreichen Grabsteine die romanischen Namen in der Überlieferung weit häufiger als die germanischen, woraus deutlich wird, daß der Herrschaftswechsel keinen plötzlichen Umbruch brachte, sondern eine langsame, dafür aber um so nachhaltigere Umwandlung. Nach 600 aber überwiegen dann die germanischen Namen immer mehr. Gerade die hier so zahlreich gefundenen Grabsteine belegen diese Kontinuität nicht nur in der Fortsetzung der römischen Sitte, überhaupt Grabsteine zu setzen und in der Weiterfüh-

rung römischer Namen, Formen und Symbole, sondern auch in der Überleitung in die germanische Zeit hinein. Der Friedhof um die vorkarolingische Kirchenanlage von St. Alban wird dadurch zu einem bedeutsamen Zeugnis dieser Kontinuität, wie sie hier im Mainzer Raum nicht deutlicher belegt werden könnte. Gleichzeitig beweisen der durch seine Buchstabenform, die straffe Rahmung und exakte Linierung mit Sicherheit in das 7. Jh. zu datierende Grabstein eines Abtes Pertram und der durch Eigenarten im Text (ein an den Anfang gestelltes Kreuz und die auf zweite Verwendung deutende Gravierung unter dem Text) in die Mitte des 7. Jh. zu datierende Grabstein eines Presbyters Badegisel, daß schon zu diesem frühen Zeitpunkt auf dem Albansberg eine klösterliche Gemeinschaft bestand, daß es sich also bei der vorkarolingischen Anlage bereits um ein Kloster gehandelt haben muß. Einige Mauerzüge im Süden der vorkarolingischen Anlage könnten einem solchen Klosterbau zugeordnet werden.

Dieser vorkarolingische Bau stand allerdings nicht über dem Heiligengrab. Die Gründe hierfür sind aus dem archäologischen Befund nicht zu klären. Die Tatsache allein aber dürfte maßgeblich mitbestimmend dafür gewesen sein, daß Erzbischof Richulf im Jahre 787 neben dem vorkarolingischen Bau und damit wieder über der römischen Kirche des 5. Jhs., jedoch unter Wahrung der neuen fränkischen Richtung mit einem großen Neubau begann. Dabei handelt es sich um einen einschiffigen Kirchenbau mit weiter Ostapsis über gestelztem Grundriß (Plan, Periode: karolingisch I). Dieser wieder über dem Heiligengrab errichtete Neubau scheint die nordwestlich davon gelegene fränkische Kirche nicht zerstört zu haben, griff aber in die Fundamentsubstanz des römischen Baues stark ein. Interessant ist nun die Tatsache, daß beim Bau der Richulf'schen Kirche nicht nur zahlreiche römische Steindenkmäler vor allem in den Fundamenten verwendet und somit praktisch erst zu diesem Zeitpunkt die sicher bis dahin noch weitgehend oberirdisch sichtbaren Gräber abgeräumt wurden, sondern daß daneben auch zahlreiche frühchristliche Grabsteine des 5.–7. Jhs. mit vermauert wurden. Darin darf einmal ein deutliches Abklingen der antiken Tradition gesehen werden, zu der ja ohne Zweifel der Grabstein überhaupt gehörte, zum andern aber sicher auch eine bewußte reformerische Ablehnung einer als unchristlich empfundenen Tradition. Denn im Unterschied zu der häufigen Vermauerung heidnisch-römischer Monumente kann eine derart betonte Beseitigung der noch der eigenen christlichen Gegenwart angehörenden Denkmäler nur in diesem Sinne interpretiert werden. Die bevorzugte Verwendung der frühchristlichen Grabsteine an so exponierten Fundamentstellen, wie etwa unter dem östlichen Triumphbogen des Richulf-Baues, bestätigt diese Vermutung, die andererseits noch in der Tatsache begründet ist, daß Richulf selbst einer der bedeutendsten Vertreter der karolingischen Reformbewegung war, die von Gorze ausging. Diese Reform fand somit in St. Alban einen bedeutenden Kristallisationspunkt.

Dennoch ist über den Status der Albanskirche zu diesem Zeitpunkt kaum etwas bekannt. Vielmehr dürfte erst die Beisetzung der 794 verstorbenen Gemahlin Karls des Großen, Fastrada, in der noch bestehenden fränkisch-merowingischen Albanskirche zur Gründung des Benediktinerklosters St. Alban geführt haben, das somit eine schon bestehende klösterliche Gemeinschaft ersetzte. Dieses Kloster aber wurde von Anfang an mit reichen königlichen Schenkungen bedacht. Dieses für die weitere Geschichte von St. Alban so bedeutende Ereignis des Jahres 796 fand in einer – auch archäologisch nachweisbaren – wesentlichen Vergrößerung des wohl noch nicht vollendeten Richulf'schen Kirchenbaues seinen monumentalen architektonischen Niederschlag. Die noch bestehende vorkarolingische Anlage auf der Nordseite des Neubaues wurde diesem als nördlicher Querschiffsflügel einbezogen und damit auch die Grablege Fastradas in die Hauptkirche verlegt. Zugleich errichtete man auf der Südseite ein entsprechendes Querschiff. Die Erweiterung des ursprünglich einschiffigen Langhauses des Richulf-Baues um zwei Seitenschiffe und der Bau eines karolingischen Westwerkes vollendeten dann das Bild eines monumentalen Kirchenbaues, der für zwei Jahrhunderte bis zum Dombau des Willigis zu dem das Stadtbild von Mainz beherrschenden großartigsten architektonischen Werk wurde (Plan, Periode: karolingisch II).

St. Alban, wie es in dieser Erscheinungsform auch Rabanus Maurus erlebte, nahm einen gewaltigen Aufschwung. Die bedeutende Stellung, die der Kirche und dem Kloster zukam, machten St. Alban sowieso nach der Bischofskirche zum vorrangigen geistigen Zentrum von Mainz, wenn es nicht sogar zeitweilig sogar die Funktion des Domes übernommen hat. Beides dokumentiert sich in dem Umstand, daß eben St. Alban zur bevorzugten Grablege der Mainzer Erzbischöfe wurde und nicht die Domkirche.

Im frühen 12. Jh. wurde dann die inzwischen baufällig gewordene vorkarolingische Apsis im nördlichen Querschiff erneuert und um die Mitte des gleichen Jahrhunderts der Gesamtbau durch eine monumentale romanische Doppelturmfront nach Westen erweitert (Plan, Periode: romanisch). Eine neue, etwa um 1280 beginnende Bauphase brachte dann der machtvolle Aufstieg von Mainz als freie Bürgerstadt. Hier bildet St. Alban wahrscheinlich den Auftakt für die rege Mainzer Bautätigkeit im späten 13. und frühen 14. Jh., die nicht nur auf dem Albansberg, sondern auch sonst in der Stadt bedeutende Akzente setzte. Soweit es sich aus dem archäologischen Befund erkennen läßt, sollte wahrscheinlich die ganze Richulf'sche Kirche – einschließlich ihrer späteren Umbauten – durch einen großen, schon im Grundriß sehr aufwendigen Neubau ersetzt werden. Die Fundierung für diesen gotischen Neubau ist, soweit sie ausgeführt wurde, außergewöhnlich gut und solide. Zur Ausführung kam allerdings nur der mächtige Chor, der vielleicht schon bei einer für 1297 erwähnten Reliquienübertragung vollendet war (Plan, Periode: gotisch).

Das Querhaus und die Vierung waren – wie auch alte Abbildungen zeigen – noch nicht weit über die Fundamente hinaus gediehen und das Langhaus überhaupt noch nicht begonnen, als im Jahre 1329 zusammen mit anderen vor den Toren der Stadt gelegenen Stiften auch das Albanskloster zerstört wurde. Dies geschah systematisch im Zuge einer militärischen Glacisbildung vor der Stadtbefestigung. Damit endet praktisch die ruhmreiche Geschichte des Albansklosters, denn die in der Folgezeit immer schwieriger werdenden Mainzer Verhältnisse brachten in der ersten Hälfte des 15. Jhs. jede größere Bautätigkeit zum Erliegen. Erst nach der Konsolidierung der neuen kurfürstlichen Herrschaft konnte auch für St. Alban an eine Wiederherstellung der Kirchenruine gedacht werden. Die Arbeiten beschränkten sich jedoch auf die Fertigstellung der Chorwölbung und auf einen provisorischen Abschluß des Chores nach Westen. 1552 wurde der Bau aber erneut zerstört und verfiel vollständig, um dann in der Mitte des 17. Jhs. als Steinbruch für die Festungsbauten benutzt zu werden. Dabei wurde er so gründlich abgetragen, daß über der Erde keine Spur erhalten blieb. Erst die Ausgrabungen unter Lindenschmit und Neeb gaben neue Kenntnis und ermöglichen heute die Einordnung in das Gesamtbild, dessen Schwerpunkt zweifellos in karolingischer Zeit und somit in der Zeit auch des Rabanus Maurus lag.

Lit.: E. Neeb, Mainzer Festschr. 3, 1908, 69 ff u. 92 ff; 4, 1909, 34 ff; 6, 1911, 144 ff. – E. Schmidt, Kirchl. Bauten d. frühen Mittelalters (1932) 129, Abb. – E. Lehmann, Der frühe deutsche Kirchenbau (1961) 113, Abb. 99. – F. Arens, Die Kunstdenkmäler der Stadt Mainz, Teil 1 (1961) 11 ff. – G. Behrens, Das Frühchristliche und merowingische Mainz, Wegweiser des RGZM Nr. 20, (1950) 3 ff. – K. H. Esser, Mainz (1961) 14 ff. – W. Wagner, Die geistlichen Stifte in Hessen 2 (1878) 334 ff. – Mittelalterliche Werke aus dem Mainzer Raum, Katalog des Mittelrheinischen Landesmuseums (1959) 11 ff. – W. Selzer, St. Alban, Führer zu vor- und frühgeschichtlichen Denkmälern Bd. 11 Mainz (1969) 147 ff.

Der Lebenshorizont

Wenngleich für Rabanus Maurus die Abstammung aus einer fränkischen Adelsfamilie – auch im Hinblick auf seine spätere Laufbahn – wichtig war, wenngleich er zeitlebens seine Herkunft aus Mainz nicht ohne einen gewissen Lokalpatriotismus vermerkte, so war doch sein Lebenshorizont erheblich weiter gespannt. Fulda wurde

Elfenbeintafel mit Hl. Gregor und Schreibern, Reichenau 10. Jh.
Wien, Kunsthistorisches Museum, Sammlung für Plastik und Kunstgewerbe

»Majestas Domini«, sog. Tutilo-Tafel, um 900
St. Gallen, Stiftsbibliothek, Cod. 53

Initial »Q«
aus den Fol-
chard Psalter
3. Viertel
9. Jh. Stifts-
bibliothek
St. Gallen

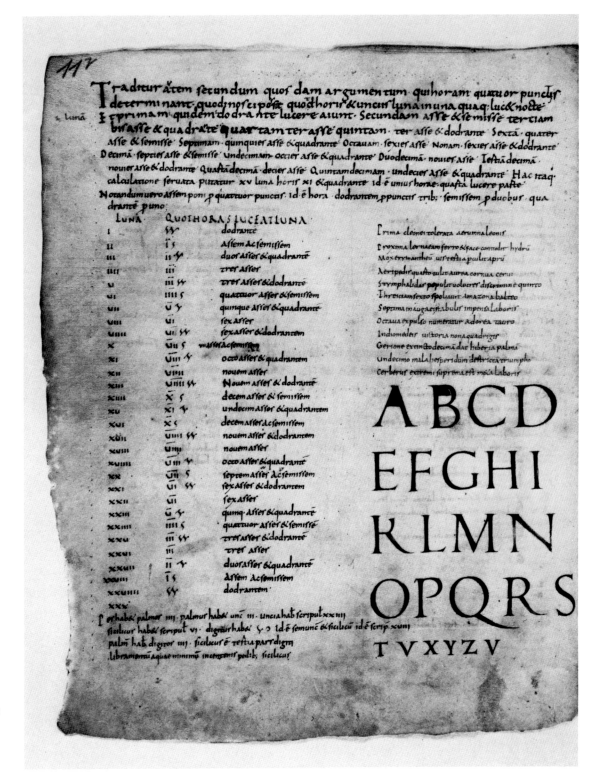

Musteralphabet der Inschriften capitalis Victorius Aquianus. Burgerbibliothek Bern, Ms 250 fol. 11 v.

ihm zur eigentlichen Heimat, seine dortige Mönchszelle zum »einzig willkommenen Aufenthalt«. Zum geistigen Vater wurde ihm der Angelsachse Alkuin, als dessen Schüler er sich im ersten großen Werk, dem Lob des heiligen Kreuzes (De laudibus sanctae crucis), um 810 öffentlich bekannte. Und noch 850 betonte er in einem Schreiben an Erzbischof Hinkmar von Reims das Zeugnis seines Lehrers im Hinblick auf die von ihm vertretene Trinitätslehre: »Wie nämlich jener (Alkuin) über das Bekenntnis der heiligen Dreifaltigkeit mit richtigen Gedanken schrieb, so denken und glauben auch wir in jeder Hinsicht«. Nach neueren Untersuchungen ist Rabanus nicht erst 802/03 in Tours, sondern schon in den späten 790er Jahren am Hof Karls des Großen in Aachen Alkuins Schüler geworden. Er erregte dort die Aufmerksamkeit eines Theodulf von Orléans († 821) und verdiente sich in wissenschaftlichen Streitgesprächen erste Anerkennung. Die Bedeutung des Alkuin-Kreises für Rabanus wird nicht zuletzt deutlich an den Adressaten seiner Briefe und Gelegenheitsgedichte, denn seine Mitschüler unter Alkuin sind hier fast alle wiederzufinden. Wissenschaftliche Interessen veranlaßten weitere Briefkontakte. Darüberhinaus ist bei Rabanus eine gute Kenntnis der theologischen Neuerscheinungen auch außerhalb der Alkuinschule zu beobachten. Widmungen und Briefe an die Herrscher waren bis zu einem gewissen Grad durch amtliche Pflichten, meist aber doch durch Bitten um Belehrung oder gar um Abfassung von wissenschaftlichen Arbeiten veranlaßt. Ebenso wie Rabanus gegenüber Alkuin, so bewiesen seine Schüler gegenüber ihrem Lehrer eine große Anhänglichkeit, die sich in Briefen, Gedichten und lobenden Erwähnungen niederschlug. (F.St.)

Lit.: J. Fleckenstein, Die Hofkapelle der deutschen Könige, Bd. 1: Grundlegung. Die karolingische Hofkapelle. Stuttgart 1959.
J. Fleckenstein, Karl der Große und sein Hof, in: Karl der Große, Lebenswerk und Nachleben, Bd. 1: Persönlichkeit und Geschichte, hrsg. v. H. Beumann. Düsseldorf 1965, S. 24–50.
Karl der Große. Lebenswerk und Nachleben, Bd. 2: Das geistige Leben, hrsg. v. B. Bischoff. Düsseldorf 1965.
D. Schaller, Der junge »Rabe« am Hof Karls des Großen (Theodulf. Carm. 27), in: Festschrift Bernhard Bischoff zu seinem 65. Geburtstag dargebracht von Freunden, Kollegen und Schülern, hrsg. v. J. Autenrieth und F. Brunhölzl. Stuttgart 1971, S. 123–141.

CATALOGVS OMNIVM OPERVM HRABA-
NI MAVRI IN HIS SEX TOMIS COMPREHENSORVM.

* HOC SIGNO NOTATI EX MAN. SCRIPTIS NVNC PRIMVM IN
lucem editi sunt.

TOMO PRIMO CONTINENTVR.

* VITA HRABANI Abbatis, edita à Rudolpho Presbytero & Monacho, eiusdem discipulo.
* Vita eiusdem Hrabani per Ioannem Trithemium tribus libris conscripta.
* Exceptio de arte grammatica Prisciani.
De vniuerso, Libri 22. ex impresso antiquo.
De laudibus Sanctæ Crucis, partim prosâ, partim carmine ex impresso Augustæ Vindelicorum.
Anno 1605.

TOMO SECVNDO.

IN Genesin Libri IV.
In Exodum Libri IV.
In Leuiticum Libri VII.
   Eorundem Commentariorum in Leuiticum epitome. auctore Strabo eius discipulo.
In Numeros Libri IV.
In Deuteronomium Libri IV. omnes ex impresso Coloniensi.

TOMO TERTIO.

* IN Librum Iudicum Libri duo
* In Librum Ruth. Liber vnus
* In quatuor Libros Regum. Libri IV.
* In duos Libros Paralipomenon. Libri IV.
* In Librum Iudith. Liber vnus.
* *Cui subiungitur Commentarius Iacobi Pamelij in eundem librum.*
* In Librum Esther
* In Cantica, quæ ad Matutinas laudes per septimanam dicuntur.
* In Prouerbia Salomonis. Libri tres.
* In Librum Sapientiæ. Libri tres.
In Ecclesiasticum. Libri X. ex impresso Parisiensi.

TOMO QVARTO.

IN Ieremiam Prophetam, comprehensis eiusdem Lamentationibus, Libri XXX. ex impresso.
* In Ezechielem Prophetam. Libri XX.
In duos libros Machabæorum.

TOMO QVINTO.

COmmentariorum in Matthæum Libri VIII.
   In quibus aduertendum in Libro 7. cap. 26. & lib. 8. cap. 26. & 28. quædam deesse, vti ibidem in margine denotatur, quæ ob militum Halberstadensium insolentiam Vrsellis in Archiepiscopatu Moguntino, vbi ille Tomus Quintus anno 1622 cudebatur.) deperdita sunt.
* Hrabani Mauri Commentarior. in Quatuordecim Epistolas Pauli Libri XXX.
   Quibus præmisimus Iacobi Pamelij Commentariolum in Epist. B Pauli ad Philem. nem.
* Hrabani Mauri Homiliæ super Epistolas & Euangelia, à Natali Domini, vsque ad Vigilias Paschæ. numer. 61. Quibus adduntur multæ aliæ Homiliæ de Sanctis & varijs virtutibus.
* Homiliæ super Epistolas & Euangelia à Vigilia Paschæ vsque xv. Dominicam post Pentecosten tam de Tempore, quàm de Sanctis, num. 91.
* Homilia de Euangelio, *Liber Generationis Iesu Christi.*
* De Septem signis Natiuitatis Domini.
* Allegoriæ in Sacram Scripturam.

TOMO

TOMO VI. ET VLTIMO.

DE Clericorum Institutione & Ceremonijs Ecclesiæ Libri tres, ad Heistulphum Archiepiscopum, ex impresso Colon.
* Ad Giotmarum de sacris Ordinib. sacramentis diuinis, & vestimentis sacerdotalibus liber vnus.
   Hic in vnultis idem est, cum primo libro de Instit. Clericorum eiusdem Rabani, sed epistola præmissa est diuersa, & alia quædam.
* Ad Reginaldum de disciplina Ecclesiastica Libri III. quorum Primus est de sacris Ordinibus; Secundus de Catechismo & sacramentis diuinis; Tertius de agone Christiano, agens de virtutibus & vitijs.
   In duobus prioribus sunt aliquot Capita, quæ conueniunt cum libris de Instit. Clericorum, vti in margine notatur.
* Ad Bonosum Abbatem Libri tres: Primus de videndo Deo; Secundus de puritate cordis. Tertius de modo pœnitentiæ.
* Ad Heribaldum de Quæstionib. Canonum Pœnitentialium Libri tres: Primus continet Regulas de Ministris Ecclesiæ, si deuiauerunt, cum adiunctis epistolis Hormisdæ Papæ, Isidori & aliorum: Secundus, De pœnitentiæ satisfactione; Tertius de pœnitentijs laicorum.
* De vitijs & virtutibus, De peccatorum satisfactione & remedijs, siue de pœnitentijs Libri tres.
* Ad Otgarium Archiepiscopum Pœnitentium Liber vnus, qui veluti præcedentium iustum quoddam Compendium est.
Quota generatione licitum sit matrimonium, Epist. ad Humbertum Episcopum, ex impresso Colon.
De Consanguineorum nuptijs, & de magorum præstigijs ad Bonosum Liber vnus, ex impr. Colon.
De Anima, & virtutibus, ad Lotharium Regem Opusculum, ex impresso Colon.
De ortu, vita & Moribus Antichristi Tractatus, ex impresso Colon.
Hrabani Mauri Martyrologium ex Tomo 6. Antiquæ Lect. Henr. Canisij.
Poemata de diuersis, per Christophorum Brovverum, cum eiusdem scholijs edita Mogunt.
* Commentaria in Regulam S. Benedicti.
Glossæ Latino-Barbaricæ de partibus Humani Corporis, ex Tom. 2. Rerum Alemannicarum Francofurti edito Anno 1606.
Item de inuentione linguarum ab Hebræa vsque ad Theodiscum, ex eodem.

FINIS.

Gesamtverzeichnis der Werke von Rabanus, Kölner Ausgabe, 1626

Zur »Geistigen Stammtafel« des Rabanus Maurus

Es gibt wohl keinen besseren Einblick in die geistige Welt des Rabanus Maurus, als ein Blick auf seinen »geistigen Stammbaum« (in der vorgelegten Form erstellt von F. Staab). Einmal zeigt sich darin mehr als deutlich die geistige Herkunft aus der Welt des angelsächsischen Mönchtums und die breite Streuung, die das Wissen dieser Welt unter seinem Lehrer Alkuin gefunden hat, dem dabei die große Förderung durch Karl den Großen nicht unwesentlich zu Hilfe kam. Zum anderen aber wird auch deutlich – wenn hier auch nur in diesem einen Zweig veranschaulicht – wie dann über Rabanus Maurus dieses Wissen weitergegeben wurde, wie sich über ihn ein weiterer »Stammbaum« aufbaut, der in so großartigen Zweigen wie der Schule von St. Gallen seine Vollendung findet.

Keiner der »Lehrer«, keiner der »Brüder«, der Mitschüler von Rabanus also und keiner der »Schüler« und »Nachfolger« kann bei einer Würdigung der geistigen Leistung der Zeit des Rabanus Maurus übergangen werden, ohne daß ein solches Übergehen eine deutliche Lücke hinterlassen würde. In diesen Namen dokumentiert sich der geistige Horizont unter dem aufbauend auf den Werken der Antike, getragen von der Kraft der Kirche und übernommen von den jungen Kräften des Germanentums das wurde, was wir heute als das Abendland definieren. (W.S.)

Empfänger von Briefen des Rabanus Maurus

	814	Diakon (später Abt) Hatto von Fulda (auch 842 und 842/47)
	814/18	Kaiser Ludwig der Fromme (auch 834 zweimal)
	814/18	Kaiserin Irmingard, Gemahlin Ludwig des Frommen
	819	Erzbischof Haistulf von Mainz (auch 821/22 und 822/25)
	820	Mönch Macharius
	822/29	Bischof Frechulf von Lisieux
	826/29	Bischof Friedrich von Utrecht
	829	Abt Hilduin von St. Denis
ca.	834	Kaiserin Judith, Gemahlin Ludwig des Frommen (auch 836/837)
	835	Erzbischof Drogo von Metz (auch 830/42)
	835	Abt Marquard von Prüm
	834/38	Ludwig der Deutsche (auch ca. 844 und 842/46 zweimal)
	834/38	Erzkaplan Gerolt
	835/40	Erzbischof Otgar von Mainz (auch 826/42 und 842)
	840	Bischof Noting von Verona
ca.	832/41	Bischof Gauzbert-Simon bei den Dänen
ca.	832/41	Erzpriester Hadubrand bei den Dänen
	840/41	Abt Lupus von Ferrieres
ca.	841	Bischof Samuel von Worms
	832/42	Bischof Rothad von Soissons
	838/42	Bischof Humbert von Würzburg (auch bis 842 mehrfach)
	840/42	Kaiser Lothar I. (auch 842/46, 847/55 und 854/55)
	840/42	Chorbischof Reginbald (von Mainz)
	845	Abt Brunward von Hersfeld
	842/46	Bischof Hemmo von Halberstadt
ca.	847	Priester Reginbodo von Hersfeld
	835/47	Reginald
ca.	846/47	Markgraf Eberhard von Friaul
	847/55	Papst Leo IV.
	850	Erzbischof Hinkmar von Reims (mehrfach, auch nach 850)
	841/51	Kaiserin Irmingard, Gemahlin Lothar des I.
ca.	853	Chorbischof Reginhar (in Thüringen)
	847/54	Abt Ratleich von Seligenstadt
	855	König Lothar II. (auch 855/56)
ca.	856	Mönch Isanbert von Fulda

847/56	Klerus von Straßburg	
852/56	Chorbischof Thiotmar (von Mainz)	
853/56	Bischof Heribald von Auxerre	

GRABINSCHRIFTEN IN VERSEN
GEDICHTET VON RABANUS MAURUS

825	Erzbischof Haistulf von Mainz (Mainz, St. Alban)
840	Einhard (Seligenstadt, St. Petrus und Marcellinus)
847	Erzbischof Otgar von Mainz (Mainz, St. Alban)
849	Abt Walafrid Strabo von der Reichenau (Reichenau)
851	Kaiserin Irmingard (Erstein im Elsaß)
854	Abt Ratleich von Seligenstadt (Seligenstadt, St. Petrus und Marcellinus)
855	Kaiser Lothar I. (Prüm)
856	Priester Isanbert (Fulda)
856	Mönch Adalhard (Fulda)
856	Abt Hatto I. von Fulda (Fulda)
856	für sich selbst (Mainz, St. Alban)
bis 856	Chorbischof Reginbald (unbekannt)
bis 856	Witwe und Nonne Wigfrida (unbekannt)
bis 856	Tutin (unbekannt)
nach 856	Gundram und Otrud, Bruder und Schwägerin (unbekannt)

ALTARINSCHRIFTEN
VON RABANUS MAURUS

um	819	Abteikirche in Fulda
	822	Michaelskapelle in Fulda
um	830	Kirche auf dem Bischofsberg (Frauenberg) bei Fulda
	835	Marienkirche bei der Abtei Fulda
	836	Kirche auf dem Petersberg bei Fulda
	836	Kirche auf dem Johannisberg bei Fulda
um	838	Propsteikirche in Holzkirchen (Unterfranken)

bis	841	Propsteikirche in Rasdorf bei Hünfeld
vor	847	Justinuskirche von Höchst am Main
	850	Abteikirche in Hersfeld
	852	Pfalzkapelle in Frankfurt
vor	854	Abteikirche in Seligenstadt
	847/56	Dom in Mainz
	847/56	Marienkirche in Mainz (später St. Johannis)
	847/56	Abteikirche in Hornbach
	847/56	Abteikirche in Bleidenstadt
	847/56	Abteikirche in Klingenmünster
	847/56	Propsteikirche in Zell bei Albisheim
	847/56	Abteikirche in Münsterdreisen bei Göllheim

EMPFÄNGER VON GEDICHTEN DES
RABANUS MAURUS ZU BESONDEREN
GELEGENHEITEN

um	814	Die Mönche der Abtei von St. Denis bei Paris
vor	817	Egil (später 817–822 Abt von Fulda)
	802/17	Abt Ratger von Fulda
vor	818	Der Priester Gerhoh
	819	Erzbischof Haistulf von Mainz
	817/24	Papst Paschalis I.
um	826/38	Bischof Friedrich von Utrecht
	809/39	Bischof Gerfrid von Münster
um	835/40	Erzbischof Otgar von Mainz
vor	841	Der Priester Samuel (später 841–856 Bischof von Worms
vor	841	Bonosus-Hatto (später 841–856 Abt von Fulda)
um	832/41	Bischof Gauzbert (Praeclarus) bei den Dänen
bis	843	Chorbischof Brunward (von Mainz)
	817/48	Bischof Baturich von Regensburg
um	841/51	Die Kaiserin Irmingard
	841/54	Abt Grimald von St. Gallen und Weißenburg
vor	856	Der Priester Isanbert von Fulda
vor	856	Der Priester Irmingild

DIE »GEISTIGE STAMMTAFEL« DES RABANUS MAURUS

1. »Lehrer« und »Brüder«

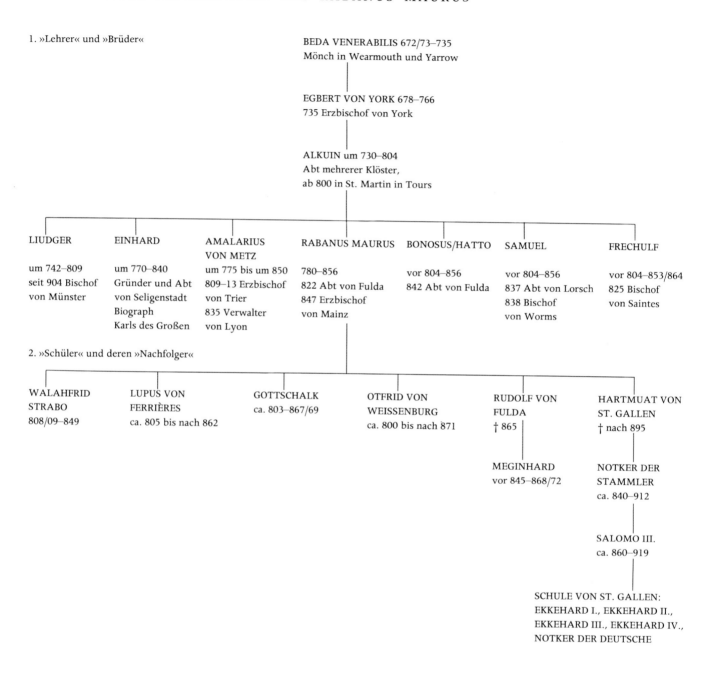

BEDA VENERABILIS 672/73–735
Mönch in Wearmouth und Yarrow

EGBERT VON YORK 678–766
735 Erzbischof von York

ALKUIN um 730–804
Abt mehrerer Klöster,
ab 800 in St. Martin in Tours

LIUDGER	EINHARD	AMALARIUS VON METZ	RABANUS MAURUS	BONOSUS/HATTO	SAMUEL	FRECHULF
um 742–809	um 770–840	um 775 bis um 850	780–856	vor 804–856	vor 804–856	vor 804–853/864
seit 904 Bischof	Gründer und Abt	809–13 Erzbischof	822 Abt von Fulda	842 Abt von Fulda	837 Abt von Lorsch	825 Bischof
von Münster	von Seligenstadt	von Trier	847 Erzbischof		838 Bischof	von Saintes
	Biograph	835 Verwalter	von Mainz		von Worms	
	Karls des Großen	von Lyon				

2. »Schüler« und deren »Nachfolger«

WALAHFRID STRABO	LUPUS VON FERRIÈRES	GOTTSCHALK	OTFRID VON WEISSENBURG	RUDOLF VON FULDA	HARTMUAT VON ST. GALLEN
808/09–849	ca. 805 bis nach 862	ca. 803–867/69	ca. 800 bis nach 871	† 865	† nach 895

MEGINHARD
vor 845–868/72

NOTKER DER STAMMLER
ca. 840–912

SALOMO III.
ca. 860–919

SCHULE VON ST. GALLEN:
EKKEHARD I., EKKEHARD II.,
EKKEHARD III., EKKEHARD IV.,
NOTKER DER DEUTSCHE

Vier Beiträge zum Problem der Musik und des Schönen in der Zeit des Rabanus Maurus

BEDA VENERABILIS

Die Objektivität der Musik

(Musica quadrata seu mensurata, o Musica practica 920–923)

... unter allen Wissenschaften erweist sich die Musik als besonders lobenswert, höfisch, heiter, fröhlich und liebenswert. Denn sie macht den Menschen frei, heiter, höflich, froh und liebenswürdig; sie bewegt das Gemüt der Menschen und erregt sie auf verschiedene Weise, wie in der Schlacht ... Was bedarf es vieler Worte? Die Musik ermahnt den Sterblichen, die Mühen zu ertragen, und die Ermüdung bei jeder Arbeit wird durch Gesang gelindert. Die Musik kräftigt verwirrte Seelen, da sie Kopfschmerzen und Traurigkeit beseitigt, unreine Gedanken, schlechte Stimmungen, und Mattigkeit vertreibt ... Sogar Reptilien, Wassertiere und Vögel tröstet die Musik durch ihre Süße ...

ALKUIN

Die irdische und die überweltliche Schönheit

(... de rhetorica ... 246)

Was ist leichter, als schöne Formen, süßen Geschmack, liebliche Töne, wohlriechenden Duft und fröhliche Taten zu lieben ...? Fällt es der Seele nicht leicht, diese zu lieben, die wie flüchtige Schatten dahinschwinden? Gott aber nicht zu lieben, der ewige Schönheit, ewig Lieblichkeit, ewige Süße, ewiger Duft, ewige Freude, immerwährende Ehre und nie endende Glückseligkeit ist? ... Doch ist die Liebe dieser Welt mühevoller als die Liebe Christi. Was die Seele in ihr sucht – Glück und Ewigkeit – enthält sie gar nicht. Diese unterste Stufe der Schönheit vergeht und schwindet; entweder verläßt sie den Liebenden, oder wird von dem Liebenden verlassen.

RABANUS MAURUS

Die Musik als Faktor der universalen Vollkommenheit

(De universo XVIII, VIII, De musica)

...ohne die Musik kann keine Wissenschaft vollkommen sein. Auch existiert nichts ohne sie. Denn wird nicht gesagt, daß die Welt selbst aus einer Harmonie von Tönen zusammengesetzt ist, und dreht sich nicht auch der Himmel im Klang der Harmonie? Die Musik bewegt das Gemüt und erregt dem Sinn auf verschiedene Weise, wie in der Schlacht, wo die Kämpfer durch die Töne der Trompeten angespornt werden. Je heftiger der Lärm ist, um so größer ist der Mut zu kämpfen. Auch die Ruderer werden durch Gesang aufgemuntert. Um jede Art von Mühe erdulden zu können, wird der Geist durch Musik gelabt, und die Ermüdung bei der Arbeit wird durch Gesang gelindert. Die Musik beruhigt erregte Gemüter ...; Sogar wilde Tiere, wie Schlangen, Vögel und Delphine, werden von der Musik zum Anhören ihrer Melodie angezogen ...

Die Musik als objektive Qualität

(De universo XVIII, VIII, De musica)

... was immer wir aussprechen und was sich in unserem Innersten beim Pulsschlag der Adern bewegt, ist nachweislich durch musikalische Rhythmen mit der Harmonie verknüpft ...

Aus: Rosario Asunto »Die Theorie des Schönen im Mittelalter« Du Mont Kunstgeschichte, Deutung, Dokumente Köln, 1963

JOHANNES SCOTUS ERIUGENA

Die Wertschätzung der Schönheit und ihre moralische Bedeutung

(De divisione naturae L, IV 16)

Stellen wir uns zwei Menschen vor, der eine ist weise

und der Stachel der Habsucht hat ihn in keiner Weise berührt, der andere ist dumm und geizig und von den Stacheln aller abscheulichen Begierden gestochen. Beide befinden sich an dem gleichen Ort. Ihnen wird nun ein Gefäß gebracht, das aus geläutertem Golde gefertigt, mit den kostbarsten Edelsteinen verziert ist, in der schönsten Form entworfen und eines königlichen Gebrauches würdig ist. Beide, der Weise und der Habgierige, sehen das Gefäß an, beide empfangen durch ihre körperlichen Sinne ein Vorstellungsbild des Gefäßes, das sie ins Gedächtnis aufnehmen und in ihren Gedanken auslegen. Der Weise führt aber die Schönheit dieses Gefäßes, dessen Vorstellungsbild er bei sich selbst betrachtet, einfach auf das Lob des Schöpfers aller Dinge zurück. Keine Lockung der Habsucht befällt ihn, kein Gift des Geizes mischt sich zu der reinen Absicht seines Geistes, die von keiner Begierde beschmutzt wird. Der Habgierige verhält sich gerade entgegengesetzt: kaum hat er das Vorstellungsbild des Gefäßes in sich aufgenommen, entbrennt er vor Begierde, er verzehrt sich, beschmutzt sich, erregt sich und führt die Schönheit des Phantasiebildes nicht auf das Lob dessen zurück, der da sagt: *Mein ist das Gold und mein ist das Silber.* Im Gegenteil, er versinkt tief im schmutzigsten Sumpf der Begierde und wälzt sich in ihm. Siehst du nun das gute und schöne Vorstellungsbild des gleichen Gefäßes der beiden? Im Sinne des Weisen ist es einfach und natürlich ohne Bosheit; im Habgierigen aber ist es doppelt und gemischt aus der widrigen Bosheit der Begierde, die ihm beigegeben ist, und dadurch wird es gestaltet und gefärbt, daß es gut erscheint, während es doch das giftigste Übel ist.

Epitaphium Hrabani Archiepiscopi

Lector honeste, meam si vis cognoscere vitam
Tempore mortali, discere sic poteris.
Urbe quidem hac genitus sum ac sacro fonte renatus,
In Fulda post haec dogma sacrum didici.
Quo monachus factus seniorum iussa sequebar,
Norma mihi vitae regula sancta fuit.
Sed licet incaute hanc nec fixe semper haberem,
Cella tamen mihimet mansio grata fuit.
Ast ubi iam plures transissent temporis anni,
Convenere viri vertere fata loci.
Me abstraxere domo invalidum regique tuelere,
Poscentes fungi praesulis officio,
In quo nec veritum vitae nec dogma repertum est,
Nec pastoris opus iure bene placitum.
Promptus erat animus, sed tardans debile corpus,
Feci quod poteram, quodque deus dederat.
Nunc rogo et ex tumulo, frater delicte, iuvando
Commendes Christo met ut precibus domino:
Iudicis aeterni me ut gratia salvet in aevum,
Non meritum aspiciens, sed pietatis opus.
Hraban nempe mihi nomen, et lectio dulcis
Divinae legis semper ubique fuit.
Cui deus omnipotens tribuas caelestia regna,
Et veram requiem semper in arce poli.

Grabschrift des Rabanus Maurus

Ehrwürdiger Leser, wenn Du mein Leben in sterblicher
Zeit kennenlernen willst, so kannst Du es im Folgenden
tun:
In der Stadt nämlich bin ich auf die Welt gekommen
und im heiligen Quell wiedergeboren.
Danach habe ich in Fulda die heilige Lehre gelernt,
dort bin ich Mönch geworden und habe den Befehlen der
Ältesten gehorcht.
Richtschnur des Lebens war mir die heilige Regel.
Obwohl ich sie immer in Unsicherheit und nicht bleibend
bewohnte,
war die Mönchszelle für mich der willkommene Aufenthalt.
Aber, nachdem schon viele Jahre verstrichen waren,
kamen Männer, die Schicksale des Klosters zu verändern,
mich Schwachen von zu Hause wegzuschleppen, vor den
König zu bringen
und zu fordern, daß ich das Bischofsamt übernehmen
solle.
Mich, bei dem eigentlich kein Verdienst der Lebensführung, der Lehrweisheit,
keine wohlgefällige Hirtenarbeit zu finden war.
Der Geist war willig, aber entkräftet der schwache Leib,
doch ich habe getan, was ich konnte und was Gott gab.
Nun bitte ich Dich aus dem Grab, lieber Bruder, hilf
und empfiehl mich Christus, damit durch das Gebet
die Gnade des ewigen Richters mich zur Ewigkeit rette,
indem sie nicht das Verdienst ansieht, sondern die tätige
Hingebung.
Mein Name aber ist Raban, und das Studium des göttlichen Gesetzes
habe ich immer und überall geliebt.
Allmächtiger Gott, gewähre ihm das Himmelreich
und wahre Ruhe für immer in der Himmelsburg. Amen.

(MG Poetae II S. 243 f. Nr. 97)

Das Weiterleben

Schon zu seinen Lebzeiten genoß Rabanus Maurus hohes Ansehen und blieb bis in die Zeit der Humanisten ein geschätzter Autor. Die deutschen Humanisten waren stolz darauf, daß ein so berühmter Gelehrter aus Deutschland hervorgegangen war und dort gewirkt hatte. Sie schätzten besonders sein Werk vom Lob des heiligen Kreuzes (De laudibus sanctae crucis) und ahmten dessen Figurenpoesie in eigenen Arbeiten nach. 1515 ließ der Mainzer Erzbischof, Kardinal Albrecht von Brandenburg die Gebeine Rabanus' feierlich nach Halle an der Saale überführen, damit sie mehr Verehrung als in Mainz erfahren sollten. Er ließ aus Anlaß der Reliquienübertragung von Johannes Trithemius eine Lebensbeschreibung Rabanus' verfassen, in der sich leider Wahrheit und Dichtung bedenklich mischen. Obwohl der große Jean Mabillon (1632–1707) bereits die Unzuverlässigkeit von Tritheims »Hraban-Vita« nachwies, stiften doch deren Angaben bis heute Unheil, weil die 1841 erschienene, einzige ausführliche Biographie des Rabanus von Friedrich Kunstmann einige Details unkritisch aus ihr übernommen hat.

Thomismus und neuzeitliches Bewußtsein schufen nach langen Jahrhunderten großer Wertschätzung eine gewisse Distanz zu Rabanus. Schon Mabillon mußte den Heiligen seines Ordens gegen eifrige Verfechter des Konzils von Trient, die ihn zum Häretiker stempeln wollten, in Schutz nehmen. Es war mittlerweile deutlich geworden, daß sich Rabanus' Verständnis der Eucharistie nicht ohne weiteres mit der Transsubstantionslehre des Thomas von Aquin in Einklang bringen ließ. Nach Mabillon hat sich im 18. Jahrhundert besonders Johann Baptist Enhuber mit Rabanus Maurus beschäftigt; auf seinen Arbeiten beruht zu einem großen Teil die schon erwähnte Biographie Kunstmanns von 1841. Einen wichtigen Erkenntniszuwachs brachte Ende des 19. Jahrhunderts die kritische Herausgabe der Dichtungen und Briefe in den Monumenta Germaniae Historica durch Ernst Dümmler, der dazu auch verschiedene Studien veröffentlichte. (F.St.)

Ausgew. Lit.: F. Kunstmann, Rabanus Magnentius Maurus. Eine historische Monographie. Mainz 1841.
R. Kottje, Rabanus Maurus – »Praeceptor Germaniae«?, Deutsches Archiv für Erforschung des Mittelalters 31 (1975) S. 534–545. Die älteren Arbeiten von Trithemius und Mabillon sind leicht zugänglich bei J.-P. Migne, Patrologia Latina, Bd. 107, Nachdr. Turnhout 1966. Siehe Literaturangaben S. 51 in vorliegender Schrift.

Rabanus Maurus im Zeugnis zeitgenössischer und späterer Quellen

Schon im Urteil der Zeitgenossen nahm Rabanus Maurus eine hervorragende Stellung ein. Wenn ihn noch Hinkmar von Reims (806–882) in einem Brief als den »einzigen überlebenden Schüler von Alkuin« erwähnt, so gibt das einen kleinen Einblick in die Stellung Rabanus' in seiner Zeit. Zu den Schülern Alkuins gezählt zu werden war schon eine besondere Auszeichnung. Weit bedeutender aber erscheint das Urteil Kaiser Lothars I. (795–855), der Rabanus Maurus in eine Reihe mit Augustinus, Gregor und Anderen stellt.

Interessant, wenn auch in der Abfolge nicht richtig ist der »Gelehrtenstammbaum« des Ademar von Chabanes, der Rabanus noch vor Alkuin einstuft und ihn dazu noch fälschlich als »Engländer« ausgibt. Das liegt sicher nicht zuletzt in der Tatsache begründet, daß gerade die Großen des benediktinischen Ordens in dieser Zeit und auch noch zur Zeit des Rabanus Maurus weitgehend aus der angelsächsischen Schule kamen, also als »Engländer« angesehen wurden.

Dann aber schweigen zunächst die Quellen. Die Gründe hierfür sind nicht klar erkennbar, doch mögen gewichtige Verschiebungen der Standpunkte, die Veränderung der geistigen und politischen Situation, die Neuordnung Europas bis hin zu den Staufern eine Rolle spielen.

Erst die Zeit des Humanismus und der Renaissance erinnert sich wieder an Rabanus Maurus als des Gelehrten, dem eine nicht unbedeutende Zahl literarischer und wissenschaftlicher Arbeiten zu verdanken war, in denen auch auf antikes Erbe zurückgegriffen war. Das betont ganz ausdrücklich auch Hartmann Schedel in seiner »Weltchronik« (1493).

Im gleichen Sinne ist das Interesse des Kardinals Albrecht von Brandenburg an Rabanus Maurus zu verstehen, der diesem mit der Übertragung der Reliquie von Mainz nach Halle mehr Bedeutung verleihen und mehr Verehrung zuteil werden lassen wollte.

Auch die Neuzeit, für die stellvertretend nur die Passage aus Hanns Hümmlers »Helden und Heilige« (1954) genannt sei, ist in ihrer Besinnung auf Rabanus Maurus wieder weitgehend auf die Wirkung des Abtes und Bischof aufmerksam geworden, der in seiner Zeit zu den Großen gerechnet werden darf. (W.S.)

Hinkmar von Reims
um 806–882, seit 845 Erzbischof von Reims
Hinkmar schreibt um 850 in einem Brief an Rabanus Maurus, daß dieser »der einzige noch lebende Schüler von Alkuin sei.«

Kaiser Lothar I.
795–855
»Wir sagen Lob und Dank dem allmächtigen Gott, der uns nicht mit weniger Glanz erleuchtet hat als unsere Vorgänger. Denn wenn er ihnen einen Hieronymus, Augustinus, Gregor und andere schenket, so hat ER, der Verdienst und Weisheit schenkt, uns den Rabanus beschieden.«

Ademar von Chabannes
988–1034, Chronist
Er überliefert einen »Lehrer-Schüler-Stammbaum«, der zwar unvollständig, aber als Quelle der Überlieferung doch wichtig ist:
Beda Venerabilis, 672/73–735
Simplicius
Rabanus Maurus, 780–856, angeblich Engländer
Alkuin, um 730–804
Smaragd, † um 825, Abt von St. Mihiel in Lothringen
Theodulf, um 750/60–821, Bischof von Orleans
Elias, † 875, Bischof von Angouleme
Heirich, um 841–876, Mönch in Auxerre
Remigius, nach 841–um 908, Mönch in Auxerre
Hucbald, um 840–930, Mönch in St. Amand

Remigius war u. a. Lehrer von Odo von Cluny und nahm damit Einfluß auf die cluniazensische Klosterreform. Die »Abstammung« von Rabanus Maurus ergibt sich aus der Tatsache, daß Heirich von Auxerre ein Schüler des von Ademar übersehenen Lupus von Ferrieres war, der unter Rabanus Maurus in Fulda studiert hatte. (vergl. auch die »Geistige Stammtafel« des Rabanus Maurus unter VIII.)

Hartmann Schedel
1440–1515, Chronist
Er schreibt in seinem Werk »Register des buchs der croniken und geschichten mit figuren und pildnissen von anbeginn der welt bis auf diese unsere zeit«, Nürnberg 1493 (Schedel'sche Weltchronik):
»Rabanus ein closterman und teutscher abbt zu Fulden unnd darnach ertzbischoff zu mayntz. der heiligen schrifft und der poetrey ein hohgelert man hat diser zeyt auß größe seiner synnreichigkeit vil trefflicher schrifft und buecher gemacht.
Strabo auch ein closterman des benanten rabani iunger ist diser zeyt nit mynder dann derselb sein maister gewest. unnd hat auch vil schoener schrifft gemacht unnd begriffen.«

Jakob de Meyer
1491–1552, Chronist
»A.D. 791. Die Universität Paris wurde durch vier hochgelehrte Männer gegründet: Claudius, Johannes, Alkuin und Raban. Sie waren Engländer und Schüler des ehrwürdigen Beda.«

Hans Hümmler
Er schreibt in seinem Werk »Helden und Heilige«, 1954, über Rabanus Maurus:
»Die Nachwelt ist in der Beurteilung seiner Persönlichkeit und seines Wirkens einig wie selten bei einem Mann, der so stark die Entwicklung der deutschen Volkskultur beeinflußt hat. Katholiken und Protestanten nennen ihn den Praeceptor Germaniae, den Lehrer und Erzieher Deutschlands. In seinem Namen könnte eine neue Blütezeit deutschen Geisteslebens anbrechen, wenn diejenigen, die sich den Ehrentitel eines Volksbildners beilegen, einig sind in dem, was seine menschliche und pädagogische Bedeutung ausmacht: in der Unterordnung alles Wissens unter die religiöse Idee, in der verpflichtenden Kraft des eigenen Beispiels und in der restlosen Hingabe an das schwere Werk der Menschenführung.«

Rabanus Maurus: Hymne »Veni creator spiritus«

Veni creator spiritus,
mentes tuorum visita,
imple superna gratia,
quae tu creasti pectora.

Qui paraletus diceris,
donum Dei altissimi,
fons vivus, ignis, caritas
et spiritalis unctio.

Tu septiformis munere,
dextrae Dei tu digitus,
tu rite promisso patris
sermone ditans guttura.

Accende lumen sensibus,
infunde amorem cordibus,
infirma nostri corporis
virtute firmans perpeti.

Hostem repellas longius
pacemque dones protinus,
ductore sic te praevio
vitemus omne noxium.

Per te sciamus, da, patrem
noscamus atque filium,
te utriusque spiritum
credamus omni tempore.

Praesta, pater piissime,
patrique compar unice
cum spiritu paraclito
regnans per omne saeculum.

Komm Heiliger Geist, du Schöpfer du,
sprich deinen armen Seelen zu,
erfüll mit Gnaden süßer Gast
die Brust, die du geschaffen hast.

Der du der Tröster bis genandt,
deß Allerhöchsten Gottes Pfand,
des Lebens Brunn, der Liebe Brunst,
die Salbung, wesentliche Gunst.

Du sieben-faches Gnaden-Gut,
du Finger Gottes der Wunder thut:
du gibst der Erde daß sie fliest
so mild als du verheischen bist.

Zünd' unsern Sinnen an dein Licht,
die Hertzen füll mit Liebes-Pflicht:
Stärck unser schwaches Fleisch und Blut
durch deiner Gottheit starken Mut.

Den Feind von uns treib fein hinweg,
und bring uns zu deß Friedens Zweck,
daß wir durch deine Huld geführt,
vermeiden was uns nicht gebührt.

Mach uns durch dich den Vater kund,
wie auch den Sohn für uns verwundt;
dich aller beyder Geist und Freud
laß uns verehren zu jeder Zeit.

Ehr sey dem Vater unserem HERRN,
und seinem Sohn dem Lebens-Stern:
Dem Heiligen Geist in gleicher Weiß
sey jetz und ewig Lob und Preiß.

Übersetzt von Angelus Silesius (1668)

Komm heiliger Geist, du Schaffender,
komm deine Seelen suche heim;
mit Gnaden-Fülle segne sie
die Brust, die du geschaffen hast

Du heißest Tröster, Paraklet,
des höchsten Gottes Hoch-Geschenk,
lebend'ger Quell und Liebes-Gluth
und Salbung heiliger Geistes-Kraft.

Du siebenfaltiger Gaben-Schatz,
du Finger Gottes rechter Hand,
von ihm versprochen und geschickt,
der Kehle Stimm' und Rede gibst.

Den Sinnen zünde Lichter an,
dem Herzen frohe Muthigkeit,
daß wir, im Körper Wandelnden,
bereit zum Handeln sei'n, zum Kampf.

Den Feind bedränge, treib' ihn fort,
daß uns des Friedens wir erfreun,
und so an deiner Führer-Hand
dem Schaden überall entgehn.

Vom Vater aus Erkenntniß gib,
Erkenntniß auch vom Sohn zugleich,
uns, die dem beiderseit'gen Geist
zu allen Zeiten gläubig flehn.

Darum sei Gott dem Vater Preis,
dem Sohne, der vom Tod erstand
dem Paraklet, dem wirkenden
von Ewigkeit zu Ewigkeit.

Übersetzt von J. W. von Goethe (1820)

Inhaltsverzeichnis

Rabanus Maurus in seiner
Zeit, 780-1980

DATE DUE

			PRINTED IN U.S.A.

MOS APUD UETERES FUIT UT GEMINO STILO PROPRIA CONDERENT
opera; quo iocundiora simul & utiliora sua legentibus forent
ingenia. Unde & apud saeculares & apud ecclesiasticos plurimi
inueniuntur. Qui metro simul & prosa unam eandem q; rem describ
serunt. Sed deceteris taceam quid aliud beatus prosper uenerandus
uir sedulius fecisse cernitur. Nonne ob id gemino stili caractere
duplex opus suum edunt? ut uarietas ipsa & fastidium legentibus
auferat. & siquid forte in alia minus quis intellegit. in alio mox plenius edi
sertum agnoscat? hoc igitur exemplo atq; hac decausa ego quidem uilissi
mus homuntio. opus quod in laudem sce crucis metrico stilo condidi. In
prosam uertere curaui. ut qua ob difficultatem ordinis & figurarum ne
cessitatem. obscura locutio minusq; patens sensus uidetur in metro
inesse. saltem in prosa lucidior fiat; Non enim agebam ut eis
dem uerbis quibus in metro usus sum. sed eodem sensu in hoc opere
locutus essem. hoc & idem oratius uir acutus & doctus in arte poetica
erudito interpreti precepit dicens. Nec uerbum uerbo curabis reddere fidus interpres.

Interpres enim ego quodam modo in hoc opere sum. Non alterius
linguae. sed alterius locutionis. ut eiusdem sensus ueritatem explanem.
Quapropter rogo lectorem. ut non fastidiose accipiat nostrum laborem.
sciatq; me non super pluratam studere uelle. sed ut ita faciam; Nec ulli
inuidere. sed magis fraterna caritate. quicquid gratia diuina pos
sum. Ad utilitatem proximis subeundo uelle conferre;
Bonitas omnipotentis di mihi concedat. ut quicquid boni mente
teneam. opere perficiam. Et quicumque nostrum laborem fixtur
ne accipiat. do largiente aeterni gaudii nobiscum particeps exsistat.

DE PRIMA FIGURA IN QUA XPS IMAGO MUNDUS INMODO CRUCIS EXPANDIT CRUCIS

ECCE FILIUS DI ET DNS DOMINANTIUM. EXPANSIS MANIBUS SUIS SPECIEM
restaurandam honorandam hic ostendit; & rectehinc unum pastorem grex sacer ecclesiae
iustum colit; & in eomodo quo incruce sua membra fatigari permisit. rite omnes populi
probant redemptorem. quia hunc totius uita praeuentem scae sacrascriptura praedicat; Hoc quoq;
ego indignus agnoscens pro modulo meo omnium summitatum culmen adoro dnm ihm. & credo
quod ipse est rex regum; Iudea uero que simul ante inuidia inuentrix malorum est. inique suu
occidit regem; Ipse tamen cum gloria resurgens. arma impiorum per uerbum euangelii sui
secundum promissionem prophetarum potenter subuertit; Et nos qui in illum credimus. in ipso
laetemur. dum quicumque aeternum dnm illum esse non confitetur. male ac perniciose dubitat;
qui ahic auctor omnium rerum in toto orbe colitur. cui cuncta deceat subici. quia dextera summi
patris proba & sca. ablatam predam deprofundo inferni sanguine suo eripuit. & alteri incruce
positus. caeleste regnum suis concessit fidelibus; Hic est di principium omnium rerum.
hic nobis tecum dr. hic origo & finis uniuersorum est. Ipse uera imago dipatris inuisibilis ordni.

splendor lucis aeternae · qui substantialis patris solius trahe verbum di̅ · & ex lumine lumen e̅
hic coaequalis uirtus · & manus d̅n̅i̅ est ; Dux iustorum · & prophetia uera · quem filium di̅
unigenitum & primogenitum iuste confitemur ; hic est lapis angularis credentibus ·
lapis que offensionis & petra scandali infidelibus · idemq; ostium uitae est ; sensus in
dicatus ueste xp̅i ueritas · quod mystice significat exponam ; uestis quoq; xp̅i · lex diuina e̅ ·
quae uigili regimine litterarum · Auctorem uerum omnia continentem / quodam modo am
plectitur · ad quem totus mundus caelum & terra & mare & uniuersitas creaturae pertinet ·
qui pugillo caelum metitur · & terram palmo concludit ; Item n̅r̅a̅ natura quam propria
redemptione suscepit · quasi uestimentum diuinitatis eius est ; Nam haec splendorem
maiestatis eius ab humanis conspectibus celat · & ab oculis claritatis eius coram oculis im
piorum abscondens claudit ; Ipse tamen miraculis coruscantibus · ac tonante euange
lio ueru̅ d̅i̅ innotuit ; Iste quoq; magni consilii angelus · ac summa deuotio d̅i̅ populo mis
sus e̅ · doctus iudex & sapientia & custos pacificus · sol iustitiae · & fons uitae / brachium d̅n̅i̅
& panis uiuus qui de caelo descendit · per uirg̅ xp̅s · oriens · lucifer · & uerus medicus ·
clauis dauid · uia ueritae · & agnus d̅i̅ qui tollit peccata mundi · serpens qui exaltatus mortuos
uiuificat ; mediator d̅i̅ & hominum · uermis · & homo · captiuam ducens captiuitatem ·
mons d̅i̅ · aquila altissime petens · aduocatus pro nobis · leo de tribu iuda · pastor bonus & edus
peccata n̅r̅a̅ portans · fundamentum fidei · ouis innocens · sacerdos secundum ordinem
melchisedech offerens panem & uinum ; Uitulus namq; & aries pro nobis immolatus e̅ ·
uictima · qui filius e̅ patris aeterni · idem damnatus est ad poenam ligni ; hic itaque ante
luciferum & ante omnem creaturam ex patre e̅ genitus uero · & temporaliter in momento
processit ex matris aluo · atq; ut saluaret & humanum genus ad iudicem uenit · & aeternus conditor
xp̅s qui est super omnia d̅s̅ benedictus in saecula ·

DE SECUNDA FIGURA IN QUA S̅C̅A̅ CRU̅ IN IRATE TRAGONUD DEPICTA EST ·

O sca̅ crux xp̅i quae potestate tibi collata excellis super om̅nia ·
du in caelorum arce superna · caelorum potens regis agmina ; quia crucifixit in te
regis uirtus & diuinitas totam te potentem & totam se in̅ fecit · maxime compassionis eius
indicium semper in te gestat ; quapropter merito te reginam ex xp̅o rege uocamus · quia
regni caelestis ad tuum pacte primum meruimus ; Dumq; humanitatis eius ac diui
tatis gratiam ipsum portans promeruisti · in uius d̅i̅ omnipotens laudem sacra confes
sione xp̅i col̅ associasti · Nam multiplices laudes d̅o̅ insit angelorum coetibus exortas & si
militer ratione ad glorificandum d̅n̅ deuotos reddis terrarum incolas ; Te generaliter totus
orbis aer mare · & ignea caelorum sidera sanctificant · Ac specialiter unaquaeque
species creaturae · ex quattuor mundi partibus magna deuotione celebrat ; hoc quoq;
que omnium adunata confessio proficiatur · quod ab aeterno lumine illustrata nobis